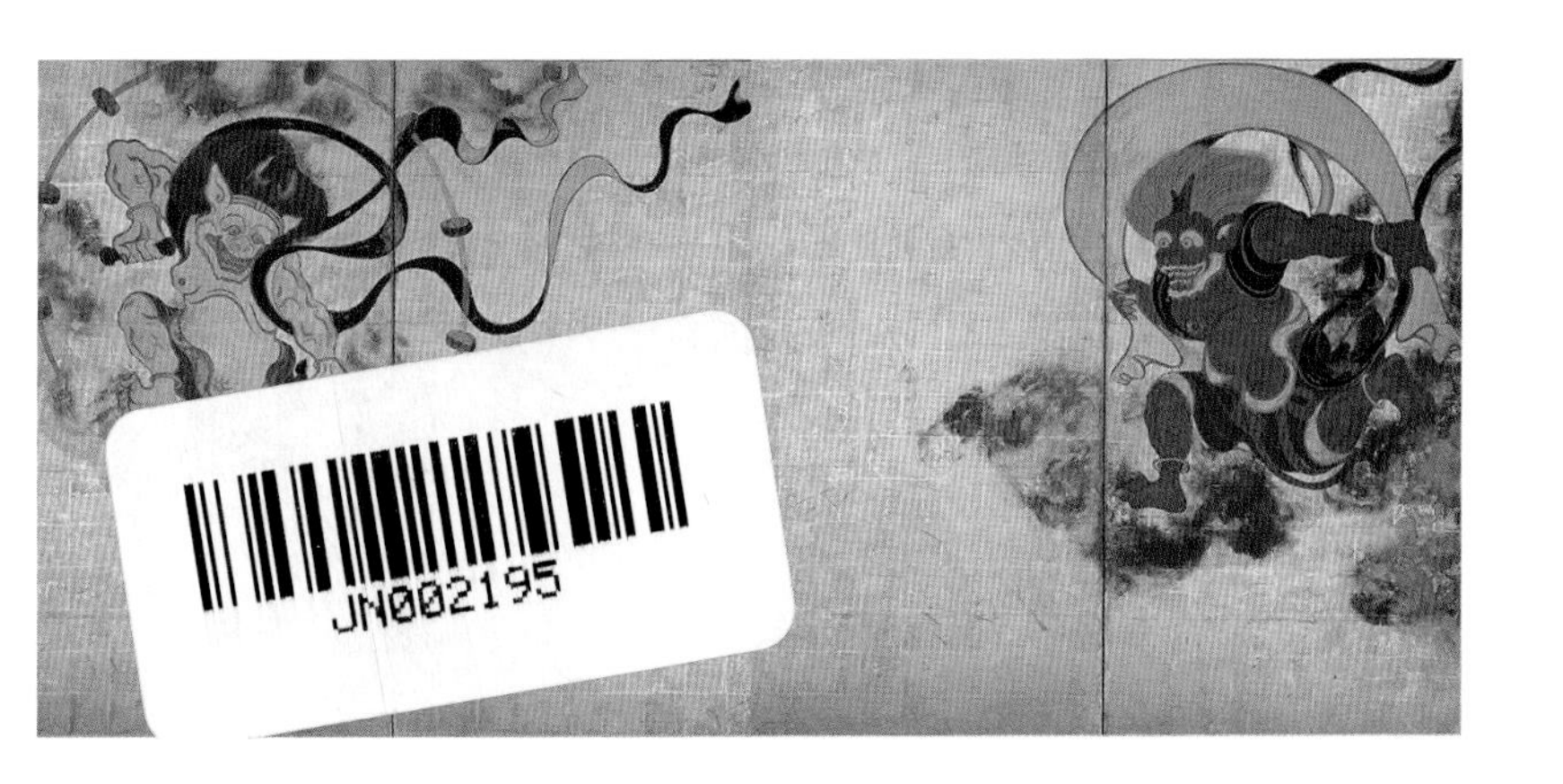

国宝、はじめは こんな色だった！

上）国宝「風神雷神図屏風」（俵屋宗達／江戸時代）
下）現代の技術で色彩をデジタル復元したもの

当時の色彩、当時の環境で鑑賞すると感性がひらく

昔の日本家屋は庇が大きく張り出しているので日中でも薄暗いのですが、太陽が低く沈む夕方になると赤く染まった外光が奥まで差し込んできます。その光を再現して鑑賞すると、光を反射しない顔料を使った箇所（風神雷神）のシルエットは暗く、一方で背景の金が柔らかく輝きだし、浮遊感が生まれます。

当然電灯なんてない時代ですから、暗くなればろうそくを使用します。ろうそくを手に取り、雷神の顔に近づけると……目と歯がギラリと鋭く光るのです。どうですか、"神様の本性"が垣間見えた気がしませんか。

→詳細は18ページ～

“デジタル復元”とは

Photoshopや3Dソフトを駆使し、画像の取り込み、ゴミ取り、色調整など全てをパソコン上で行います。デジタルとは言いながら、作業はとても地道で、ていねいに根気よく行う必要があります。スタンプツールで絵のゴミやシワとひとつひとつ取り除いたり、また、模様を細かくペンツールでトレースしたり……。結局は、人の手でコツコツと進めているのです。

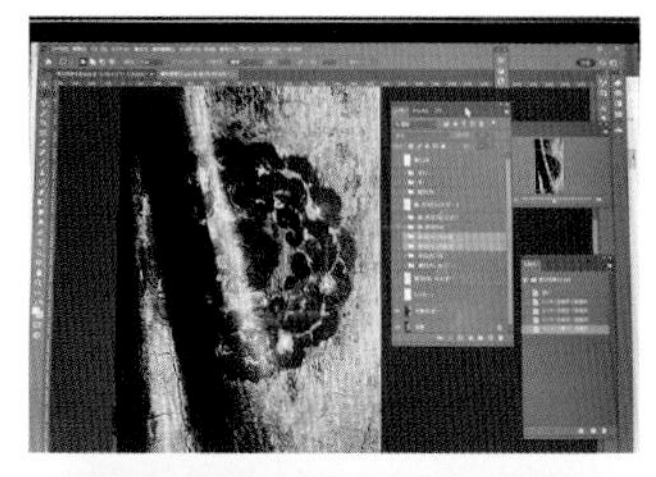

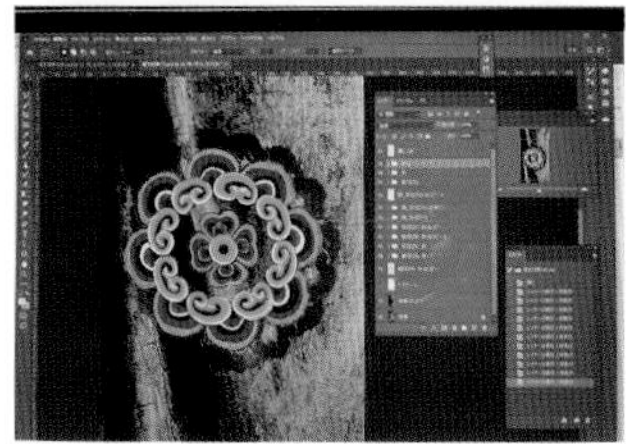

パソコン上での復元作業風景。阿修羅像がまとう衣装の模様を再現しています。

興福寺の阿修羅像（国宝）。褪せることなく残った顔料などをもとに色彩を再現するとこんな姿に。

“デジタル復元”した絵巻物はこうやって鑑賞する

「年中行事絵巻　祇園御霊会」（平安時代）のレプリカ。絵巻物は右手でくるくる巻き取りながら左手で紙面を開くことで、シーンが進んでいきます。実際にやってみると、次々とシーンが展開し、まるでアニメーションを見ているような感覚になります。

「平治物語絵巻　六波羅合戦巻」(鎌倉時代)のもっとも重要な「三条河原の決戦」のシーン。群衆が躍動しながら突進していく様子を表現する、赤い「流し旗」が目を引きます。私たちは自然と流し旗のたなびく先を目で追って、最後に現れる「息をのむ」光景に導かれていきます。

→詳細は60ページ〜

＼こんなものも“デジタル復元”できる！／

〈淀殿の小袖〉

国宝「花下遊楽図屏風」（狩野長信／江戸時代）に描かれた貴婦人は各条件により淀殿と推測されます。この淀殿が着ている着物を再現したことがあります。資料と有識者の話から色味を突き止め、藤文様刺繍のデータを作成し、実際に刺繍をしてもらい……そうして完成した小袖がこちら。

「花下遊楽図屏風」は六曲一双、つまりつながった６枚のパネル×左右ペアです。写真はその右側（右隻）。真ん中の２枚は関東大震災で焼失してしまいました。

震災前に撮影された白黒写真から、現状模写を作成します。

当時の色彩を復元。着物の絵柄は藤であることが分かります。

仕立て職人の手を経て、完成！

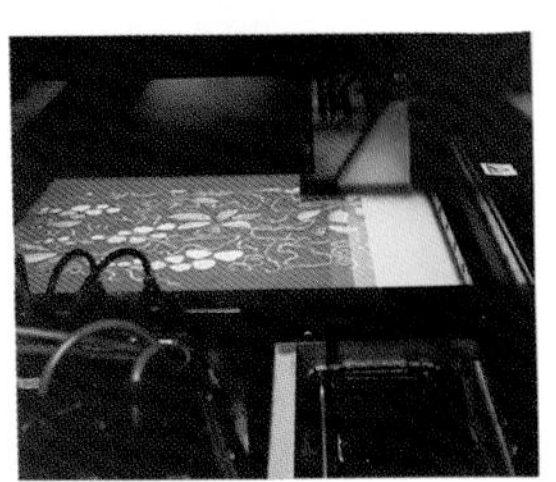

桃山時代の古裂（こぎれ）を入手し、模様ひとつひとつをデジタル処理して藤文様刺繍の写真データを作成します。そしてそれを絹織物にプリントし、反物に仕上げます。

できあがった反物を刺繍職に渡し、プリントの上から刺を施してもらいます。

→詳細は 114 ページ〜

〈 古 墳 〉

国宝「高松塚古墳壁画」（飛鳥時代）を“デジタル復元”し、実際のサイズに組み立てて石室内部を再現しました。実際に横たわってみると、実に快適で、石室内の雰囲気が死の暗い影に支配されていないことがわかります。これが万葉の人々の死生観！

石室内の壁には漆喰が塗られていたことが分かっていたので、背景は真っ白に。鮮やかな色の衣装に身を包む女子群像が映えます。

奥に女子群像、手前に男子群像、天井には中国の星座（星宿図）。「五行」の色世界に則った四神の聖獣たちや、日輪・月輪も再現。

6ページ～

はじめから国宝、なんてないのだ。

感性をひらいて日本美術を鑑賞する

デジタル復元師
小林泰三
Taizo Kobayashi

光文社

はじめに

「はじめから国宝、なんてないのだ」のタイトルにはふたつの意味があります。

ひとつは、今は国宝になっている美術作品もはじめは国宝ではなかった、という意味です。どんな偉人にも経験不足の幼少期があったように、立派な国宝にも、味わい深くなる前の、ういういしい時代がありました。

もうひとつの意味は、そもそも国宝という制度は明治時代に定められた比較的新しい決め事で、はじめはなかったのだという意味です。つまり、国宝はありがたいという考え方は昔はなかったのです。

しかし、国宝システムになれきってしまっている私たちは、なかなかその色メガネを外すことはできません。

それを外すことができるのが、新しい日本美術の鑑賞法「賞道（しょうどう）」です。

「賞道」は、鑑〝賞〟をする〝道〟です。「賞」の字は「賞状」にもあるように、ほめたたえる意味もあります。つまりは「よくよく物を見て、いいところをほめたたえる姿勢で暮らす」となります。

とまあ、「道」がつくものですから、堅苦しく聞こえるかもしれませんが、要するに、「日本美術を見て、いいところを探して『いいね』をしよう」というものです。

難しいのが、ぱっと見、日本美術を見てすぐに「いいね」はしにくいところ。古くてぼろぼろなので、見た目がきれいじゃないし、何やらありがたいんだろうけれど、見ただけでは何が言いたいのか分からない……。だから、私たちは「わびさび」という便利な言葉を持ち出し、渋いから「いいね」をする。また、「国宝」というお墨付きがあるから、「いいね」をする……というわけです。

それでは本当には美術品に向き合っていないので、そこをちゃんと向き合うように〝整えて〟から、しっかりと鑑賞して、改めて「いいね」をしましょう、というのが「賞道」なのです。

では、どうやって〝整える〟のか。そこで、褪せた色彩をもとに戻すデジタル復元が必要になってきます。

私が「賞道」を始めたのは、大手印刷会社に勤めていたのがきっかけです。そのころは、まだ日本もバブルがはじけたばかりの時期で、職場にはパソコンが数台あり、みんなで共有していたころでした。そんな時代でしたから、デジタル画像処理は、大手印刷会社でしか買えないような億単位のマシーンで行っていました。

通常は、美術館で使用するような美術作品の画像をレタッチして、きれいに整える作業をします。あるとき、その画像処理技術を使えば、昔の色を復元する画像処理ができるな、と思いつきました。

はじめに手がけたのが国宝「花下遊楽図屏風（かかゆうらくずびょうぶ）」という醍醐（だいご）の花見を題材にした屏風です。詳しくは本編の第3章にゆだねますが、失われた色彩を再現することで発見が多くあり、日本美術は、

【制作された当時の色を、制作された当時と同じ方法（環境）で鑑賞する】

ということをしないと、本当のことが見えないのだな、ということが分かりました。

その後、毎年のように国宝級の作品の色彩を戻し、それを画像のままでなく、実際に絵巻物、掛け軸、屏風などに作り直し、それをわいわい〝触（さわ）りながら〟楽しく鑑賞すると、ああ、これこそが日本美術なのだな、と強く感じるようになり、それは確信となりました。

はじめに

２００４年に自分の会社「小林美術科学」を設立して、肩書として「デジタル復元師」と称して以降は、この鑑賞法に「賞道」と名前をつけて、全国を飛び回ってご紹介に努めているわけです。

初心者の方へ「賞道」を伝えるのは、実は簡単です。触っていただくだけでいいのです。でも本ではそれができないのが、難しいところです。

そこで、読んでも触っているかのように理解していただくためには、すぐに気持ちがそちらに向かう工夫、さらに言えば「いいなあ」「すごい！」と憧れの気持ちを代弁する役割が、この企画に加わるといいなと思いました。

そこで考えたのが「漫画」です。漫画の登場人物を通して、昔の世界へ飛び込み、その時代の人と対話をするようにすれば、美術の難しい時代背景や知識もなく、頭に入ると思ったのです。いや、体温が熱くなったり、脈が速くなったり、心に直接アピールできると思ったのです。

この本は、４つの章に分かれています。はじめは「風神雷神図屏風（ふうじんらいじん）」で「賞道における鑑賞とは」という雰囲気を楽しんでいただき、平安時代の合戦、醍醐の花見に参加していただきながら、最後、遠く万葉の人々の心の中まで触れる壮大なる旅をご用意しております。それぞれの章のはじめには新月ゆきさんの賞道体験に基づくショート漫画がついていて、皆様をさらに楽しくタイムトラベルへといざなってくれます。

この本を読み終えたときには、皆様がタイムトラベラーとなっていることを願っています。もちろん、漫画家・新月さんは立派なタイムトラベラーとなりました。

さて、そんなねらい通りになりますでしょうか。もちろんしっかりと私がご案内いたしますので、ご心配なく。

さあ、ページをめくって、いにしえへと旅立ちましょう！

はじめから国宝、なんてないのだ　目次

第2章 これはもうアニメでしょ

第3章 秀吉時代の〝おたがいさま〟事情

第4章 やっぱり怖い? 超有名なお墓のお話

第1章

国宝をべたべたさわろう

美術館へ
行くたびに
思うことが
ある
じっ
私は作品を
見に来た
のかな？
解説を
読みに来た
のかな？

たぶん
両方

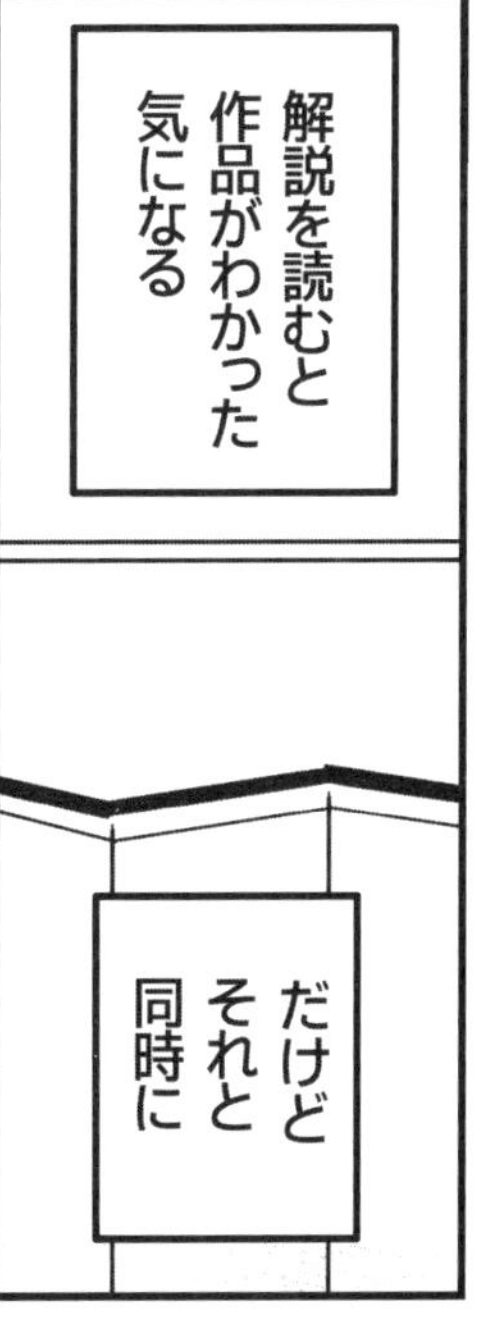
解説を読むと
作品がわかった
気になる
だけど
それと
同時に

ガラス越しの
距離も
感じていた

だからかな？

次第に
美術館から
遠ざかり
いつしか
私は美術館へ
行かなくなった
あの日
まで
デジタル
復元師の
小林泰三
です
古来の
日本美術を
デジタルで
復元し
本来の色
本来の絵に
戻すことを
仕事にしています
漫画家の
新月ゆきです

今日は日本美術の道案内をするタイムトラベラー小林と呼んでください
浮いてる？
はいはい

早速ですが江戸時代の風神雷神図屏風
レプリカです
じゃあ〜ん

ゴージャスな神様
国宝ッ!!
カチッ
当時と同じ環境を再現すると

暗い!!
当時の
日本家屋は
薄暗かった
この環境で
屏風の正面から
光を当てると

浮き出
てるッ!!

新月さん
屏風の真ん中に
座ってください
?

なんだ
ろう?

!!

風神の視線は
雷神を
雷神の視線は
新月さんを
そして
新月さんの
視線が風神へ
点と点が
繋がり
鑑賞者が
立体的な構図を
つくりあげる
一員になる

本来
屏風は
近くで鑑賞
すること前提で
設計されてます

作品と環境を
再現し
見て
知って
触って
感じる
こうすることで
日本美術の
本当の姿が
わかる!

今の美術展と鑑賞のイメージ

緑の風神様に、白の雷神様。

「風神雷神図屛風」と言えば、その写真を見なくても、「ああ、あの絵だ」と思い浮かぶ人も多いのではないでしょうか。それほどまでにこの作品は有名で、多くの人々に親しまれています。

何とも言えないユーモラスな姿態と表情。ほぼ正方形の屛風を二つ並べ、その両端に風神と雷神を配置した絶妙なレイアウト。見る人が楽しくなるシカケが満載で、美術館で展示されようものなら、その作品の前は、黒山の人だかりになります。

もはや〝日本美術のアイコン〟となっている「風神雷神図屛風」を、私たちは実際どのように鑑賞しているでしょうか。ちょっとシミュレーション鑑賞会へと出かけてみましょう。

とある美物館で開催されている「みんな大好き国宝展」は、開催前から噂が噂を呼び、入場を待つ列が、長く長く延びています。最後尾は入場できるまでに「1時間30分待ち」!

季節が芸術の秋で、よかった。これが夏だったら、と思うとぞっとします。しかし美術ファンの多い高齢層には、秋の気温でも、ずっと立ちっぱなしはこたえます。

「それでは、３列のままご入場くださ〜い」

こんな列を組んで行進する機会は、日常そうそうありません。初詣以来でしょうか。でも、やっと入場できる番が回ってきたのですから、ここはがまんがまん。

入場券を確認してもらって、いよいよ展示会場へ……。

「お手荷物は、コインロッカーへお預けください。料金の１００円は返却時に戻ってきま〜す！」

おっと、場内は混んでいるだろうから、このかばんは邪魔になるな、と、コインロッカーへと進みます。でも、もうほとんどが使用中です。探していくうちに奥まで進んでいきます。でも、ない！

するとちょうど、コインロッカーに鍵を挿し、１００円硬貨が戻ってきた方が、後ろにいます。荷物を引き出し、そのドアが閉まろうか閉まるまいかの瞬間に、そのドアを押さえます。

「（押さえてくれて）ありがとう」とその方は、親切にしてくれたと思っていますが、こちらこそ「ありがとう」と言いたい気持ちです。

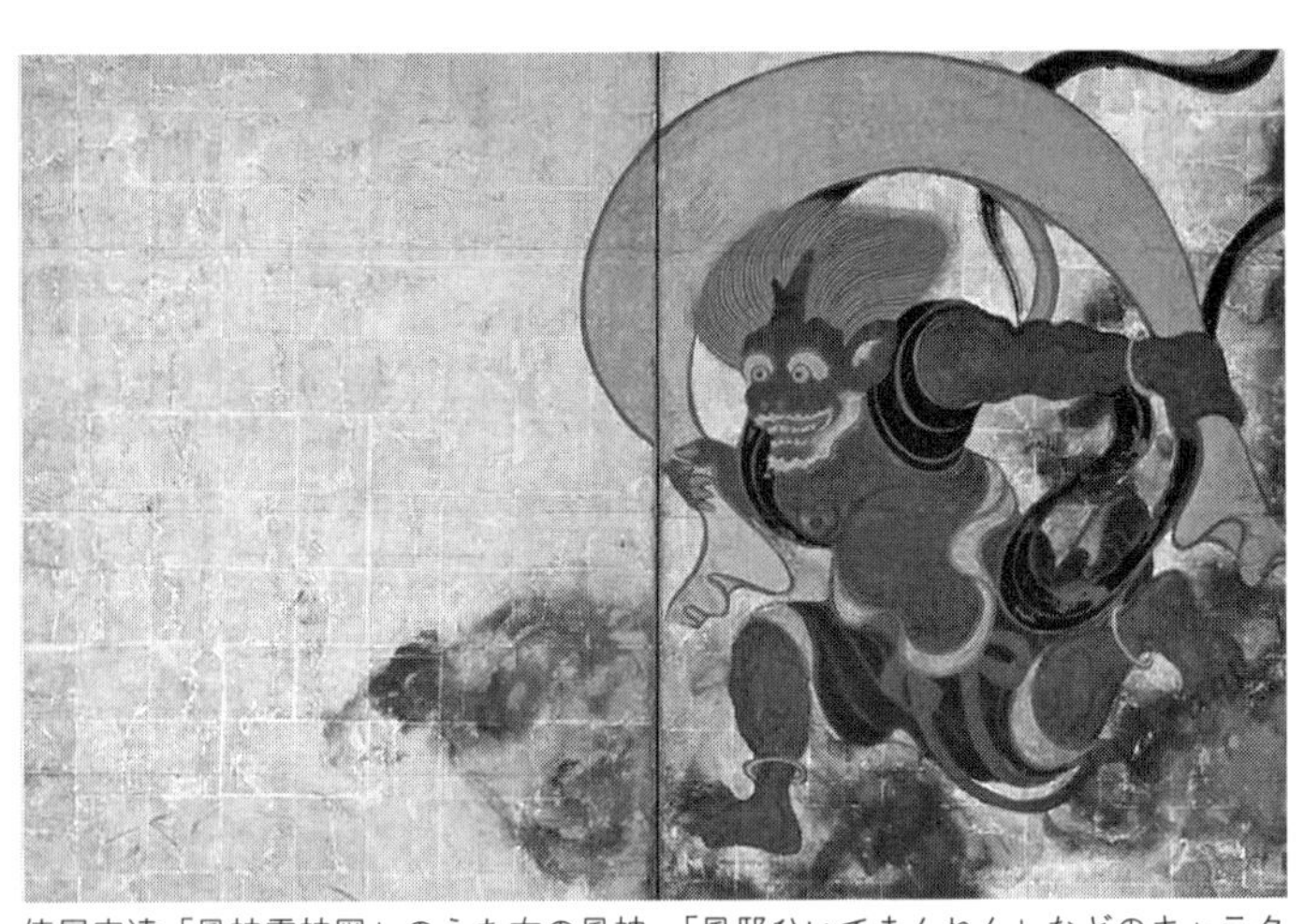

俵屋宗達「風神雷神図」のうち右の風神。「風邪ひいてまんねん」などのキャラクターでも親しまれる

まあ、そんなこんなでいよいよ展示会場内に足を踏み入れるのですが、もうすでにちょっと疲れています。

なので、展覧会主催者のあいさつや、「国宝とは?」などのパネルはパス。すぐ会場奥へと進みます。本当は、入場料のもとを取りたいので、しっかりと読みたいのですが……。

時代ごとに並んでいるので、奈良時代の仏像がドーンと出迎えてくれます。

「おお！　この仏像が、来てたのか!!」

見たことのない、でもけっこう有名な国宝の仏像が来ていると、期待していなかった分、一気にテンションが上がります。自分の頭の中の「この国宝見たリスト」にチ

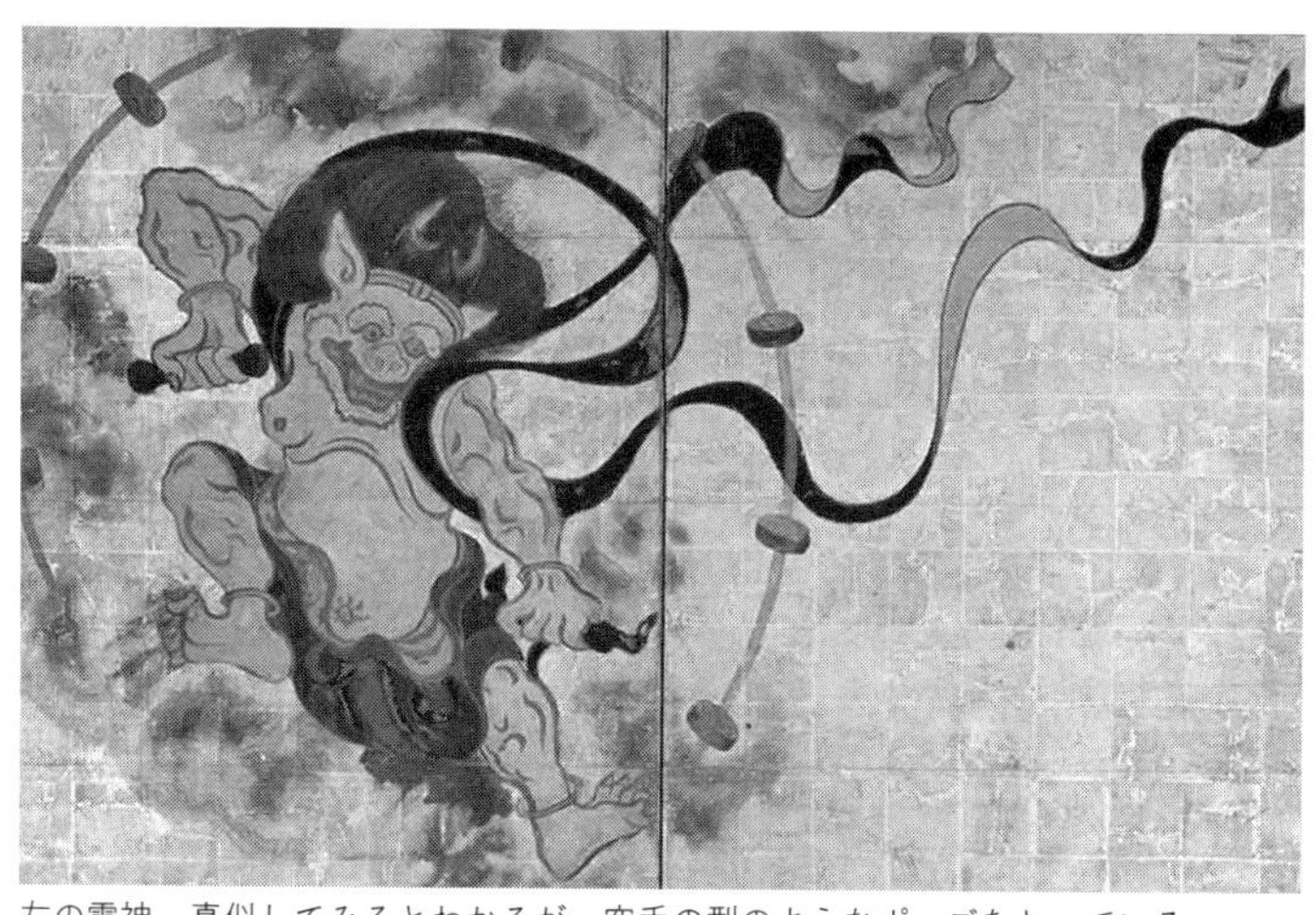
左の雷神。真似してみるとわかるが、空手の型のようなポーズをとっている

ェックを入れる快感、たまりません。

平安時代のコーナーには、絵巻物が展示されています。ガラス越しに斜めの台に載せられてながーく広げて展示してあります。どんな作品かな、とガラスに貼られている作品名と、作者と、制作年、あと「国宝」かどうかの表示（ここ大事！）、解説に向かいます。

でもそこは、自分が読もうとしているように、今熱心に読んでいる人たちで渋滞しています。それを待つという試練に耐え、しっかりとパネルを読みこなし、さらに待つ者だけが、ガラスそばの最前列に並ぶ権利が得られる……。

「近くでご覧になる方は、順番にお並びください。そうでない方は、その後ろを止ま

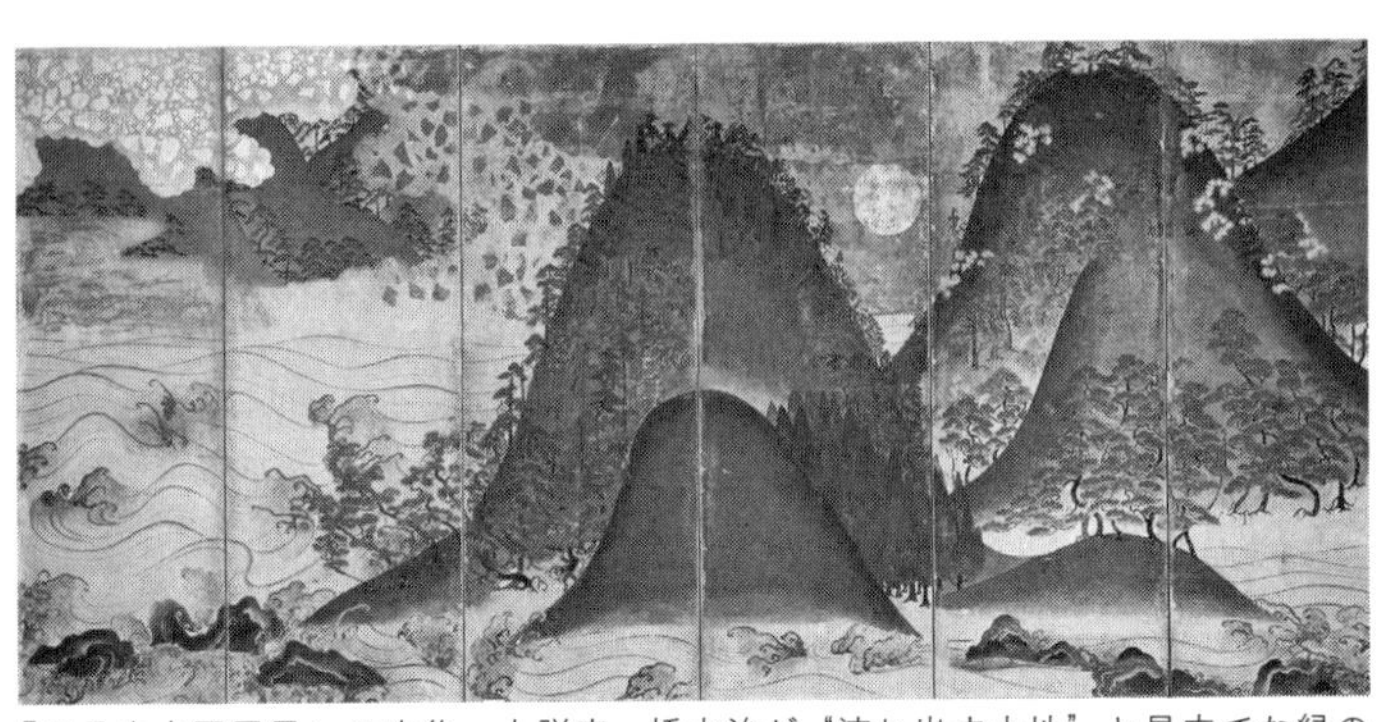

「日月山水図屏風」の右隻。小説家・橋本治が“流れ出す大地”と見立てた緑の山々

らずに進みながらご覧ください」

という案内の声が響きます。

ええ〜、何それぇ〜、と心で舌打ちしながらも、あきらめました。後ろの流れるコースを選びます。人の頭越しに、小さく描かれた人々が、あっちこっちに描かれ、何やら大騒ぎな様子が描かれていますが、何がなんだかさっぱり。同じ格好をした人が、あちこちにいるのだけは分かりました。

でも、次の鎌倉時代は大丈夫。武士の時代ですから、貴族の美術品とは違って地味なので、そうそう人は止まりません。特に刀剣なんかは通でないと面白味が分からないので……と思っていたら、大間違い。

呆(あき)れるほどの人だかり。例の刀剣ブームはブームだけで終わらず、今も続いているのだそうな。もう何がなんだか。今日は何をしに来たのでしょう。

がっかりしながら室町時代、安土桃山時代に来ると、

「日月山水図屏風」の左隻。うねる冬山、うねる海、うねる松。不思議な世界にファンも多い新国宝

かなり人もばらけてきて、落ち着いた中で旧友のようにあの国宝に再会できました。気を持ち直して対峙します。

「日月山水図屏風」。あの有名な随筆家・白洲正子が愛した作品で有名になり、割と最近の２０１８年に国宝に昇格しました。実は、その前の重要文化財のころからのお付き合い。なので、ホント懐かしいような気持ちになります。昇進してよかったね。あ〜、やっぱり来てよかったな。

さあ〜て、いよいよ江戸時代、「風神雷神図屏風」の時代です。この作品は、江戸時代のはじめの方なので、いきなりドーン！　と展示されているはずです。

……でも、ほとんど見えない、すごい人だかりです。風神の風袋の大きく弧を描いた白と、雷神の光背のような円に連なる小さい太鼓たちしか見えません。どうしましょうか、ここはやはりちょっと粘りましょうか。

じわりじわりと時間をかけて前ににじり寄っていくと、ようやく全貌が見えてきました。そうです、この画面を見るといつもわくわくします。リズミカルな配置は、やはり天才的です。全体像がよく見えるように煌々（こうこう）と照らされていますので、図像がくっきりと見えます。もちろん、間近でしか味わえない絵筆の跡、絵の具のにじみが、本物の凄みを伝えています。

そこには、なじみのあるちょっとユーモラスなお姿がありました。「風邪ひいてまんねん」など言って風邪薬のキャラクターになったり、現代の芸術家によってスターウォーズのキャラクターやスーパーマリオブラザースのマリオ＆ルイージになったりと、現代人も楽しめる姿に変身してくれる、サービス精神豊かな神様たちです。

疲れました。疲れましたけれど、なんとなく最後、「風神雷神図屏風」の確認ができて成果はあったと納得して美術館を後にしました。

どうでしょう。実は、私でもこんな感じなのです。でも、いいじゃないですか、今まで出会えなかった国宝の仏像に出会えて国宝リストにチェックを入れられたし、旧友の「日月山水図屏風」に再会できたのですから。それと粘った甲斐があって、「風神雷神図屏風」の現状も確認できました……あれ、でもそれって、本当に美術鑑賞だったのでしょうか。

誰もが知っている名作の知られていないお話

「風神雷神図屛風」――。今の人々にも楽しく感じられる画面ですが、昔の人もこの作品が大好きでした。その証拠に、この絵を模写した作品が昔から多く手がけられているのです。もともとは俵屋宗達が手がけた作品です。宗達は、当時から広く名の知られた絵師だったのに、生没年が不詳となっています。１５７０？～１６４０？　という時代を生きたらしい、と伝えられています。

オリジナルの「風神雷神図屛風」を模写した作品が、東京国立博物館に所蔵されていて、こちらは尾形光琳（１６５８～１７１６）という画家が手がけています。彼も有名な画家で、宗達のスタイルが大好きで、まねた表現で傑作を次々と生み出します。

代表作は熱海のＭＯＡ美術館に所蔵される「紅白梅図屛風」と、東京の根津美術館に所蔵される「燕子花図屛風」。もちろん二つとも国宝に指定されています。それぞれの開花の季節、「紅白梅図屛風」は2月から3月ごろ、「燕子花図屛風」は4月から5月ごろに展示されることで知られています。

そんな尾形光琳が宗達の「風神雷神図屛風」の模写をし、オリジナルではない模写なのに、重要文化財に指定されているのですから、「風神雷神」というイメージがどれほど人々に大切にされてきたか知れるというものです。光琳版「風神雷神図屛風」もかなり有名なので、こちらが色々な形で、まるでオリジナルのように紹介されている例も多く、そんなことから宗達、光琳の個性というよりも、それこそ〝風神雷神のイメージ〟、さらに言うなら〝日本美術のアイコン〟として世の中に浸透しているのに驚きます。

面白いことに、さらには尾形光琳の「風神雷神図屛風」を模写した「風神雷神図屛風」も、割と有名です。今度は、光琳のスタイルを愛した酒井抱一（さかいほういつ）（1761〜1829）の作品です。とは言え、模写の模写ですから、出来はそんなによくない（あくまでも主観です）。構図のバランスが微妙に崩れ始め、色の塗方も均一的で表情に乏しいのも目につきます。ただ酒井抱一は、ある傑作を残し、熱烈な「風神雷神LOVE」を彼らしい別の形で表現しています。

専門家や国宝ファンから「次は国宝！」の呼び声が高い、重要文化財の「夏秋草（なつあきくさ）図屛風」。こちらも東京国立博物館に所蔵されています。この屛風は、銀の地に、向かって左側の屛風には、突風に舞い上がる紅葉したツタなどの葉が描かれ、右側の屛風には、激しい雷雨に打ちしなだれる昼顔などの夏草が描かれています。夏草の屛風の方には、にわかにできた小川も見えます。

実は、もともとこの屏風は、光琳の「風神雷神図屏風」の裏に貼り付けられていた、というのです。なぜ抱一は、そんな不思議なことをしたのでしょうか。

　その謎を解くために、「風神雷神図屏風」の後ろに「夏秋草図屏風」を重ねてみました（28ページ下図参照）。するとどうでしょう、風神雷神図の空いたスペースにそれぞれ、夏草秋草が配置され、風神の巻き起こす突風に舞い上がる秋草、雷神が響かせている雷雨に打ちしなだれる夏草、という構図が見事に浮かび上がります。

実は、「夏秋草図屏風」は「風神雷神図屏風」の構図をリスペクトして、ち密に計算された作品なのです。

裏を返せば、こうして見ないと、「夏秋草図屏風」の面白さは、十分には味わえない！

配置だけではなく、この二つの屏風自体の対比も気が利いています。天空に浮かぶ風神雷神の天上界に対し、神々の厳しい仕打ちを受ける夏草秋草が表す地上界。そして栄光の輝きを誇る金屏風に対し、稲光の青白い閃光と冷たい雨を感じさせる銀屏風。

酒井抱一は、俵屋宗達や尾形光琳に比べると、繊細な表現を得意としました。つまり、彼は、自分の腕を生かし繊細な草花を表現することで、自分らしい「風神雷神ＬＯＶＥ」を貫いたと言えるでしょう。

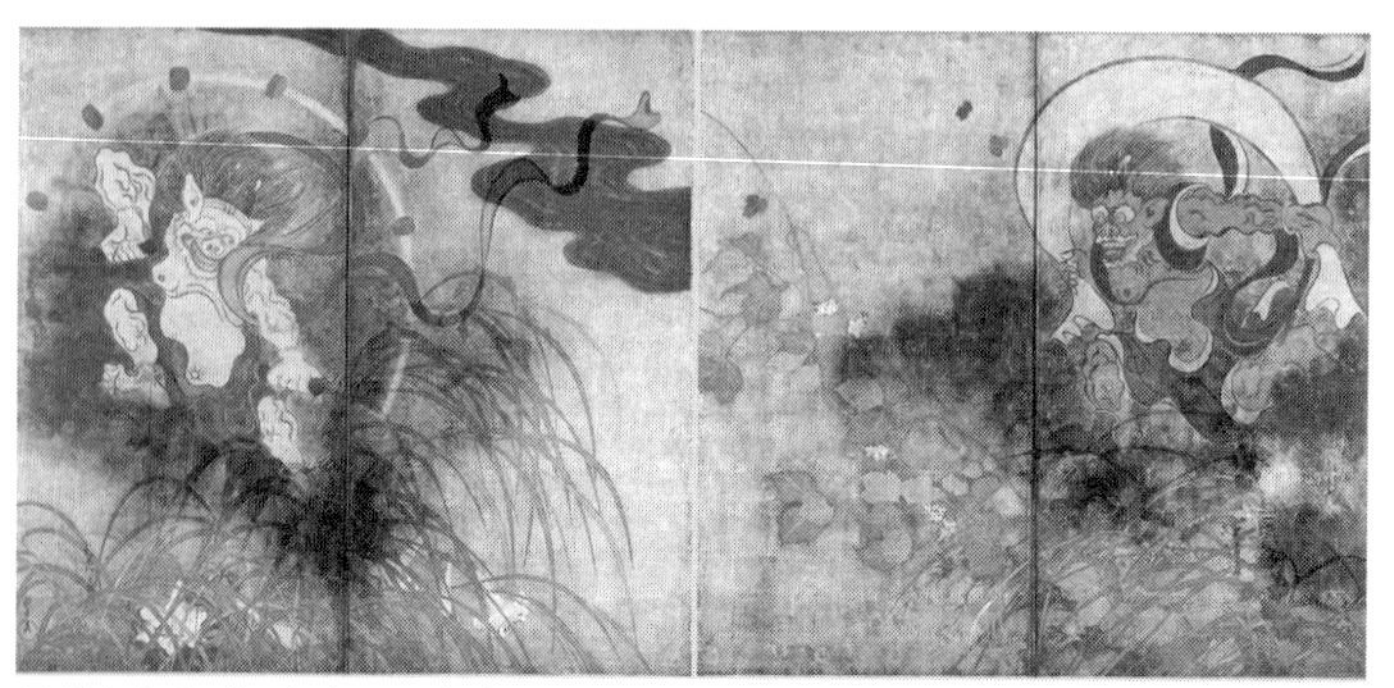

風が吹き上げる左上への角度と、雨が打ちつける右下への角度の対比もすばらしい。小川の配置も絶妙

昔は触っていた証拠

酒井抱一のお話のところで、不思議に思ったことはありませんか？

屏風の裏に屏風を貼り付けるなんて、果たして、そんなこと可能だったのでしょうか。もちろん、ぴったりと糊付けした、という意味ではありません（もしかするとそうだったかもしれませんが）。ほぼ正方形の屏風は、ちょうど真ん中で折れるようになっていますが、この折れる部分の蝶番（ちょうつがい）は、凸にも凹にもなるように作られています。なので、表の「風神雷神図屏風」を通常の凹にしたときに、「夏秋草図屏風」を凸にして、ぴったりくっつけることは可能です。

ただ、私が言いたい「果たしてぴったりとくっつけられることができたのでしょうか」の意味は違います。「果たして、そんなことができる環境だったのでしょうか」、さらに言えば「光琳の風神雷神図屏風をべたべた触れる環境にあったのでしょうか」ということです。

これほどレイアウトがぴったりとなると、触れる環境にあった、と想像してしまいます。

しかも私は、オリジナルの国宝の方、俵屋宗達の「風神雷神図屏風」もべたべた触れる環境にあった、と思っています。

現在、オリジナルの「風神雷神図」は建仁寺の委託を受けて、京都国立博物館が大切に保管しています。建仁寺に来る前は、京都宇多野にある妙光寺にあったとされています。

とある京都の豪商が、菩提寺である、つまりは代々のお墓がある妙光寺が再興される際に、町で評判の絵師・俵屋宗達に「風神雷神図」を描かせて屏風にし、奉納したというのが始まりです。この妙光寺は、臨済宗建仁寺派の寺だったので、住職が建仁寺に移られる際に、持っていったと伝えられています。

ここで、妙光寺の立地について、少しお話しします。

実は私は今、京都の嵯峨嵐山に住んでいます。近くには渡月橋、天龍寺、大覚寺がある、ここも全国から、そして全世界から大勢が訪れる名の知られた観光地なのですが、そんな観光客も地元の人々も利用する「京福電気鉄道嵐山本線」、通称「嵐電」があります。

京都を走る路面電車で、1両もしくは2両編成のシンプルさが優しいシルエットの山々の背景に溶け込んで風情があり、とても人気があります。

そんな嵐電の「宇多野」という駅より、8分くらいのところに妙光寺があります。そして嵐山から見てそのひとつ手前が「鳴滝」という駅です。江戸時代の陶芸家・尾形乾山の焼き窯があったことで有名です。カンのいい方は、気がついたかもしれません。そうです、「尾形」という苗字から分かる通り、尾形乾山は、光琳の弟なのです。

贅沢を好み派手に遊んだという次男の光琳に比べて、三男の乾山は質素を好み慎ましやかな生活をしていたそうです。現代でも鳴滝の駅からふらふらと乾山の窯跡などに行ってみると、あたりは静寂が広がり、当時の乾山の生活ぶりもうかがい知ることができます。

光琳と乾山、性格は正反対だったかもしれませんが、仲は悪くなかったようです。というのも、乾山の制作する陶磁器に、光琳が絵を描く合作が、いくつも残っているからです。

きっと光琳は、時に乾山の窯元にやってきて、こんなやりとりをしていたことでしょう。


「お〜、元気にやっておるか。相変わらず、陶芸三昧の毎日か」

「はい、兄者、いいところにいらっしゃいました。こちらの陶器に、また絵を描いてくださらぬか」

と、汗をぬぐいながら乾山が製作途中の陶器を示すと、光琳はにやりとして、

「よいが、売れたら折半だぞ」

「そんな……」


とまあ、この会話はもちろん想像ですが、光琳が弟に会いにたびたび鳴滝まで来ている可

能性は高く、だとしたら隣町の宇多野にある妙光寺に行かないはずがありません。当然、そこには憧れの俵屋宗達の傑作「風神雷神図屏風」があるのも知っているはずです。

実際に歩いて、ちょっと驚きました。というか呆れました。案内では宇多野駅から妙光寺まで徒歩8分、鳴滝駅から乾山の窯元跡まで15分とあったので、30分ほどは歩くのかと思いましたが、実際自分の足ではなんと5分！（詳しくは、位置関係を示した左ページの地図をご覧ください）となれば、光琳は通うぐらいに妙光寺に参上し、何度も何度も「風神雷神図屏風」を見ていた可能性が高まります。

でも、通っていた、本物を何度も見ていた、だけでは「べたべた触っていた証拠」にはなりません。なぜ、私が「べたべた触っていた証拠」をつかんだのか。それは、34ページの図で一目瞭然です。

オリジナル、宗達の国宝「風神雷神図屏風」と、模写、光琳の重要文化財「風神雷神図屏風」を重ねてみましょう。はじめは、枠と枠を合わせてみますが、ぴったり合いません。特に雷神の太鼓が連なる円。宗達の描く円は枠からはみ出しているのに、光琳の方はすべてが画面に入っています。あきらかに描き足しています。

さらに、今度は、絵柄と絵柄を合わせていくと……。なんとほとんどがぴったりと重なるポジションがあるのです！　雷神のたなびく羽衣は、おそらく後からアレンジしているのでしょう。そこだけはぴったりとはいかないのですが、他の部分は、驚くほどに重なります。

つまり尾形光琳は、弟・尾形乾山の窯元を訪れ数日滞在し、その間足しげく徒歩5分の妙光寺にお参りしては、「風神雷神図屏風」を透き写す（トレーシングする）作業をしていたと考えられるのです。

当時すでに尾形光琳は、芸術家として洛中では知られた存在、その光琳から頼むと言われれば、住職は喜んで屏風を使うことを許したでしょう。となれば、屏風をバーンと床に倒して、透き通る和紙を広げて、屏風にのしかかるようにしてトレーシングしていたことも想像されます。

これはもう、「べたべた触る」どころの騒ぎではありません。これぞ、当時の作品に対する距離感！

私たちは、国宝と聞けばもう、ガラス越しに置かれた、アンタッチャブルなお宝と感じてしま

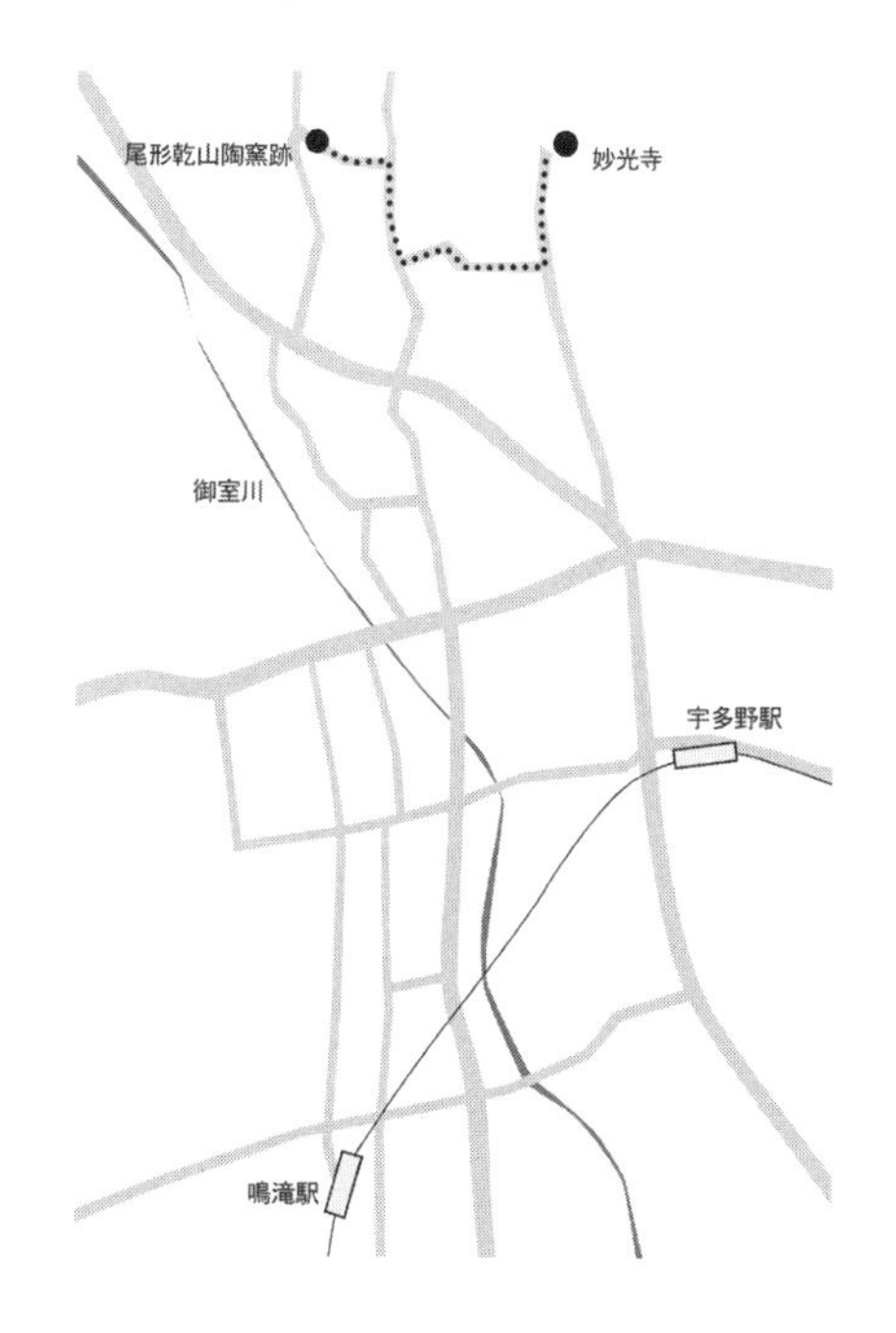

います。しかし、昔からずっとそんな遠い存在だったのではなく、時には今紹介したくらい近い距離にあって、実際にも、「精神的にもべたべた触る」環境にあった、ということを意識してもいいかもしれません。

考えてみれば、国宝に指定されたのは、明治以降の現代になってからの話なのですから、なおさらです。

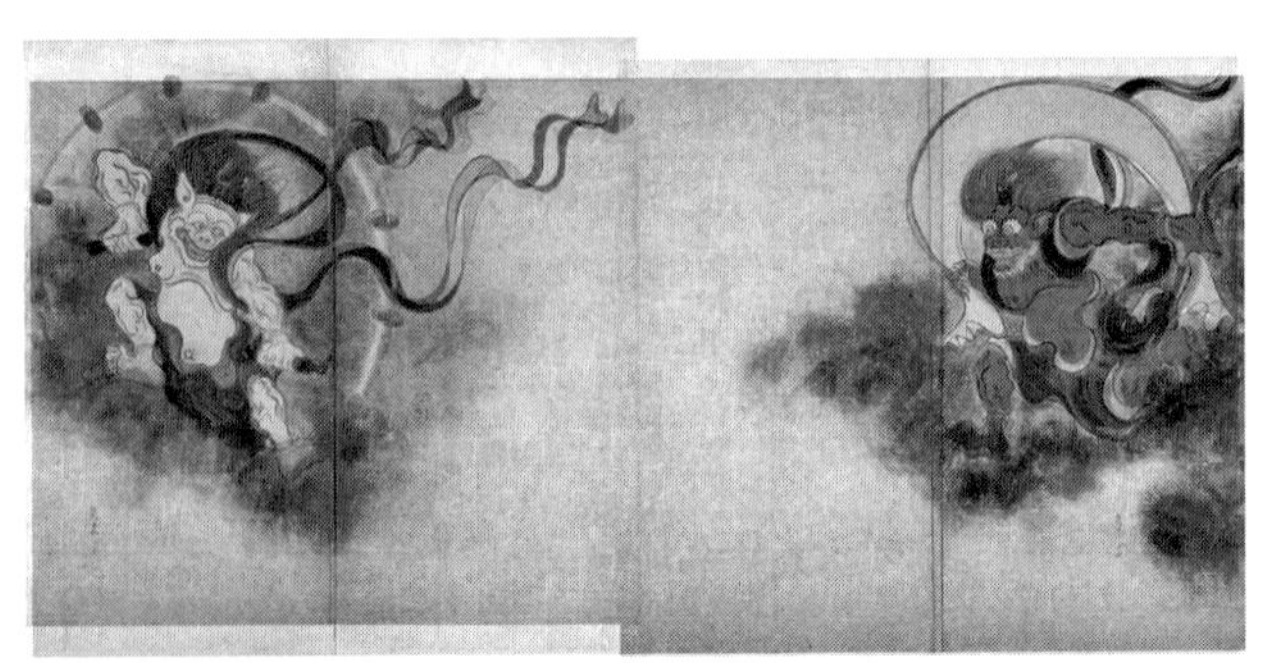

いくらスケッチの天才でも、トレースしない限りここまでぴったり重なるようには描けません

触れる時代が、再びやってきた！

触れるくらいの距離感で国宝に接する、精神的にももっと親しみを持って接する。それが、当時の人々にとっては当たり前、ということが、だんだんとお分かりになってきたかと思います。

「でも、そんなこと、私たちができるわけがない」

とあきらめの声も聞こえてきます。確かに、ガラスケースから取り出して、直で鑑賞する機会は、ほとんどない、あってもごくわずかかもしれません。私も印刷会社にいたころ、カタログ製作に向け、国宝級の美術作品の撮影立ち合いという、そんな機会に恵まれたことがあります。

それは偶然に偶然が重なって起きた奇跡のようなもの。奇跡をあてにしては、いつまで経っても「べたべた鑑賞」は実現できません。まして、その国宝は、本当に国のお宝であって、私たちが近づけたとしても触るなんてことは許されません。

でも大丈夫です。これから申し上げることは、決して負け惜しみではありません。実は、国宝をべたべた触るのに、「国宝は必要ない」のです。いいえ、むしろ「国宝は使わない方がいい」と考えています。

その理由は、国宝は「色が褪せている」からです。最初はあったはずの色がなくなり、古いものになると、何が描かれているかも分からない状態にまでなってしまいます。それでは鑑賞になりません。

そこでデジタル復元が必要になってくるわけです。

私は、デジタル復元師という肩書で長年活動して参りました。色褪せた日本美術をパソコンの中にデジタルデータとして取り込み、デジタル画像処理をして彩色を施すという仕事です。色の判断は、退色しているとはいえ、幾分は残っているのがほとんどなので、その顔料が現在ではどのくらいの輝度になるかを、様々な資料から推測した上で画像処理アプリで彩色していきます。もちろん、有識者の意見も参考にします。

すると、予想もしていなかった色鮮やかな世界が広がるので、復元するたびに驚きます。と同時に、私たちはこの色彩を知らずに、やみくもに古さを「わびさび」と言って、鑑賞していた事実にさらに驚くのです。鮮やかな色彩で、つまりは作品が【制作された当時の色】で、鑑賞することがいかに大切であるかが、分かります。

デジタルのいいところは、気軽にプリントアウトできたり、コピーができたりするところです。私は、色のよみがえった作品を、パソコンの中の画像として見るだけではなく、プリントアウトし、絵巻物であれば横につないでくるくる巻いて、掛け軸であれば縦につないでくるくる巻いて、簡易のレプリカを作ります。屏風や襖(ふすま)絵ともなると表具などをして多少お金もかかることもありますが、アナログで人間国宝級の職人さんが高級な岩絵の具を使って腕を振るって色彩を復元し、表具師によって立派に仕立てるのとは、比べ物にならないほど安価でできます。

それら簡易のレプリカを使って何をするか。わざわざ手間をかけるのは、【制作された当時と同じ方法で鑑賞する】、という目的があるからです。つまりは「べたべた触る」鑑賞を実現するため。ついに、私たちにも、かつてのような「べたべた触って」鑑賞する時代が戻ってきたのです！

【制作された当時の色を、制作された当時と同じ方法（環境）で鑑賞する】

デジタル復元を活用する目的は、これに尽きます。そうすると驚くほどに、日本美術は饒舌(じょうぜつ)に語り始めます。そう、美術展の作品解説などに頼らなくても。実は、日本美術の作品たちは、おしゃべりなんです。

でも、その話を引き出すのには、ひとつだけコツがあります。

「こちらから作品へアプローチする」。これだけなのですが、今まで誰もやってこなかったので、私は不思議に思っています。

誰もやっていないので、そして、それさえやれば日本美術がぐっと親しみやすくなるので、実行することにしました。それが、私が２０１６年から展開している「賞道」です。

鑑賞の「賞」、賞状の「賞」に、茶道や華道のような「道」をつけて「賞道」。「愛(め)でてほめる目を持つ」ということになりましょうか。でも、茶道や華道のように、しっかりとしたお稽古事、という感じではありません。

もちろん、日本美術には手で触って機能する道具の面もあるので、その扱い方にはちょっとだけルールがあるのですが、それは本当に簡単で、お茶の点前(たてまえ)とは違って、しっかりと覚えるものでもありません。

絵巻物をどうやってくるくるするか、ジグザグ屏風をどのように開くか、掛け軸をどのように掛けるかには、やり方があるけれども、いわば鑑賞をするための最低限の準備というだけのものです（なんでしたら、私がそこまでの準備は全部いたします）。

本番はこれからで、その絵の中にどう飛び込むか、が問題です。でもそれも難しくありません。自分にとっての「ここがかっこいい！」「こっちから見た方が迫力がある！」という、ベストポジションをさぐる、それだけなのです。

私は、デジタル復元のレプリカを所有しているので、眺める機会が多く、自分なりの見方というものがあります。「賞道」では、それを皆様にご紹介しているにすぎません。でも、参加者の方が鋭い観察眼を発揮して、悔しいけれど私よりも面白いビューポイントを探し出し、示してくださるときもあります。そのときは、

「今日のチャンピオンは、あなたです！」

と、素直に負けを認めて、レフリーのようにその方の腕を高々と挙げて賞賛します。……まあ、ちょっと大げさに言いましたが、「賞道」の大まかな内容は以上の通りです。

この本は、いわばその「賞道」で繰り広げている鑑賞の様子を、ごくごく一部を簡単に、親しみやすく、そして何よりも楽しくご案内しています。ちょうど、小学校で講演しているような感じです。

実際、小学校で「賞道」を開催する機会も多く、そのときに使っている講演のタイトルが「国宝をべたべたさわろう！」なのです。小学校の児童生徒たちも、いとも簡単に、絵の中に飛び込んで、嬉々（きき）として目を輝かせ、わいわいと騒いでいる。そんな光景、美術館ではまずないでしょう（だいいち、うるさい！　って怒られてしまいますしね）。

でも、これ、事実なのです。

知ってる？　神々の本性

ご紹介している「風神雷神図屛風」を使っての「国宝をべたべたさわろう！」ですが、小学校の子供たちがいつも熱中する、いわゆる〝テッパン〟があります。

子供たちの前で屛風を広げ、ひとしきり最初のご対面で盛り上がった後、あたりを暗くして、ろうそくに火を灯(とも)します（実際は、安全上ろうそく型のＬＥＤの代用が多いですが）。もう、子供たちはそれだけで大喜びです。しばらくは騒いだままにするしかありません……。

昔は当然電灯などありませんから、夕方から暗くなると、ろうそくになります。この【当時の人々と同じ方法（環境）で鑑賞】することが重要です。

「どうですかぁ、だんだんと目が慣れてきましたか？」

というような感じで、場内を鎮めつつ、再び屛風に注目するようにうながします。ぼんやりと全体を照らしていたろうそくを手に取り、それを雷神の顔に近づけます。そうすると、あるポジションだけ、目と歯がギラリと鋭く光る場所があるのです。

「うわ！」

ろうそくの灯りに照らされた風神のアップ。目と歯がぎらりと光り、子供たちもびっくり

「こわ〜い！」

同じようなポジションが風神の方にもあり、2列に分かれてそれぞれ鑑賞していくわけですが、子供たちの反応は二分します。一方は、さらに喜ぶ。もう一方は、本当に怖がって、友達の陰に隠れる……。これが不思議なことに、男の子は喜ぶ、女の子は怖がる、という先入観は、見事に裏切られます。もしかすると、低学年だと、男の子の方が怖がるかもしれません。

この章のはじめにお話しした、親しまれている風神雷神は、現代人のエゴを優しくも受け入れて、都合のいいキャラクターになってくださっていますが、ちょっとしたシカケをすると、とたんにこのような厳しい神様の表情をなさいます。いわば、〝神様の本性〟です。

神様の厳しい面を見るにつけ、当時はやはり、

「言うこと聞かないと、雷様におへそ、取られちまうぞ！」

と、悪い子はそんなこと言われたりしていた情景が目に浮かびます。きっと、妙光寺にも人々は頻繁に足を運び、そんな説法を住職から聞いていたことでしょう。

もともとあった環境に戻して鑑賞すると、作品の方から饒舌に語ってくる、というのは、例えばこのような感じです。

では、もっと絵の中に飛び込んで、神様たちのさらなる〝本性〟を探してみることにしましょう。

当時と同じ環境で鑑賞するわけですから、日本家屋にこの屏風を置いていることを想像してみます。繰り返しになりますが、昔の日本家屋の天井に電灯はありません。日中は、外光だけなので、真昼でも家の奥はけっこう暗い。私が子供のころ、夏休みにおじいちゃんおばあちゃんの家へ遊びに行くと、昼間はそんな感じでした。奥が深くて暗く、振り子時計の、
カチ、カチ、カチ……

という音が、妙に寂しく、
ボーン！　ボーン！

と時刻を伝える音に、その都度びっくりしたものでした。

日本家屋は庇(ひさし)が大きく張り出していて、真昼の高い陽光は、直接中まで入ってこない構造になっています。夕方になって、太陽が山の陰に入ろうとするくらいに低くなって初めて、幾分弱くなった夕陽が奥まで差し込んでくる、という構造になっています。

そんな赤く染まった弱い外光が、「風神雷神図屏風」に今、下からじんわりと当たっていきます。すると背景の金が、柔らかく輝き出し、もうひとつそこに夕陽が現れた印象になります。

背景の金箔とは対照的に、神様たちを描いている顔料は光を反射しません。そのため、風神雷神のシルエットが暗くなり、背景が明るくなることで、浮遊感が生まれます。まるで、画面から飛び出すように見えるのです。これは、美術館で上から煌々(こうこう)と照らされる状態では見ることのできない、つまり、普段はまったく見せない表情と言えるでしょう。

凄みのある表情を持つ神様たちが、画面から飛び出してきました。さらに私たちは絵の中へ飛び込みます。

今私は、二つの屏風の間に正座しています。真ん中は金色に輝く大きな空間しかありません。まさに宙に浮いている感覚です。何か視線を感じ、雷神のいる左上方向を見てみると、雷神は私の方に視線を投げかけています。そうなんです、雷神の視線は、もう一方の風神を

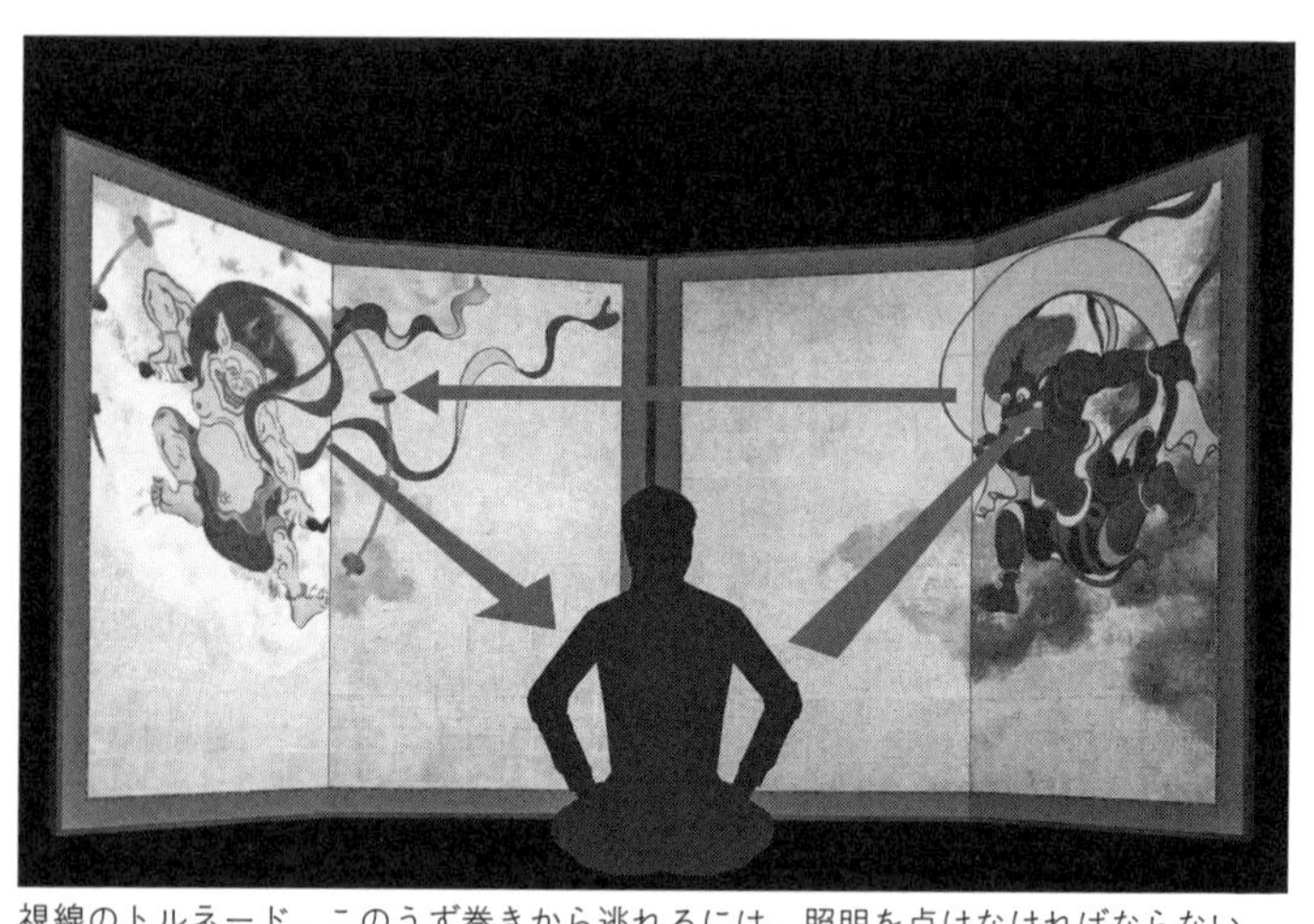

視線のトルネード。このうず巻きから逃れるには、照明を点けなければならない

見ているのではなく、画面から前方下へ視線が前に飛び出ているのです。

その威圧感に耐えかねて、私は思わず雷神から目を離し、風神へと視線を移します。安心しました。風神の視線も画面から飛び出ていますが、その視線は下の方へは行かず、雷神の方へ向かっています。

風神から雷神、雷神から私、私から風神、風神から雷神……。

この視線のぐるぐるは、なんでしょうか。まるで、〝視線のトルネード〟です。屏風の中で、突風が渦巻いているかのようです。

なかば、その竜巻から弾き飛ばされたかのように、すっくと立ち、なんだか怖くなって部屋の電気を点けます。

するとa風神雷神は屏風の中に戻ってしまい、ぎらりとした本性を、また奥深くかくしてしまいました。

ちょっとだけ、動悸が激しくなっています。

私は先ほどまで、どこにいたのでしょう。夢を見ていたのでしょうか。

でも、美術品と対話すると、こんなことがよくあるのです。我に返るまで、自分はどこをさまよっていたのか分からない、まるで、タイムトラベルでもしていたような気分になるのです。

コラム①

国宝、はありがたいものではない

コクホウ。

若いころ、実は、私もこの響きに酔いしれるタイプでした。闇雲に「国宝」を信じ、それに出会うと心のスタンプラリーのノートに、「済」のスタンプを押してきました。「またお会いできました！」「お～お初にお目にかかります。ラッキー！」と、出会いと確認で胸がいっぱいになり、もうあとは「○○年、××が制作しました……」という解説のパネルを読むのが精いっぱい。憧れのスターにただただうっとりしながら、同じように瞳にハートマークの来館者の流れに身を任せ、そのまま美術館の出口へ……。

いつもそのような感じだったので、別に違和感も覚えていませんでした。何しろ、教科書にも載っているようなスターに会えるのですから、もうそれだけでチケット代は安いもんです。

いやいや、もとを取っていないじゃない、と言われそうですが、国宝はスターですから、私にとってはただそこにいるだけでいいのです。スターの口から語ってもらうなんてもったいない。そのお姿が古く、スターが何者かが難しくて理解できなくても、もう信じ切っていますから、それだけで満足です。（これって美しいの？）（素晴らしいかどうか分からない）と、ふと頭をよぎっても、（これは私の理解が浅いからだ。国宝は素晴らしいから国宝なのだ）と自分に言い聞かせます。

これぞ「国宝教」です。はい、私も信者でした。信者は、それだけで満足なのです。なので、まったく問題はありません。

……とずっと思っていました。国宝の勉強をするまでは……。

私は学生のころから絵を描くことも、美術そのものも大好きで、かといって当時は画家やイラストレーターになるほど、人生を賭する勇気も自信もなく、なのでそれ以外で美術にかかわる仕事を探していました。そこで、美術館の学芸員になる勉強をして、ゆくゆくは学芸員になろうと、大学での勉強は、割と真面目にやっておりました。

そんな中で、国宝の指定をする評議員の先生の授業を受けたり、あるいは教えてくださる教授のさらに先生が、誰もが知っている国宝を指定した偉大な先生だったり、そんなことを耳にすると、だんだんと、

「国宝って、私の知っている先生方が決めているんだな」

「国宝って、神様がお決めになったのではなく、人間が決めたのだな」

という、冷めた感覚が生まれてきたのです。でもまあ、考えてみると実に当たり前のことで、夢から目が覚めたということなのかもしれません。もちろん、その価値があるからこそ、国宝に指定されているのです。でも、ごく限られた人間、さらには私の知っている先生方によって、人為的に選定されていることに、少しだけ失望したのです。

夢から覚めた私の目には、日本美術の展覧会は、何か矛盾だらけに映っていました。もうスタンプの意味はなくなりました。国宝に出会っても、これはあの先生が指定されたんだな、とか、きっと、かつて評議会の人たちがそろそろこのタイミングで国宝にしてみましょうか、などと言って決めたんだな、とか言うのが想像されて、「国宝」という文字からは神々しさがなくなってしまったのです。

となると、国宝たちは「国宝」というブランドのラベルをつけた作品でしかありません。私にとってはシャネル、グッチ、エルメスと変わらなくなってしまいました。

さて、困りました。古びた、ぼろぼろの、色褪せた作品たちは、そのままの姿で立ち現れてきました。まるで、絶滅した動物のはく製や、色褪せた花の標本のようです。たとえ解説のパネルで「○○年、××が制作しました……」と説明されて知識として理解できても、全然実感がともないません。

そこで無理やり便利な言葉を持ち出します。それが「わびさび」です。ひなびて、ぶかっこうな方が味わいがある、ふむふむ確かに、ピッカピカでは品がない、この方がシックでかっこいい……。と言いながら、「わびさび」の根本も知らぬままに納得しようとしますが、正直すっきりしません。

私はしばらく、心にもやもやを抱いたまま、それをなんとなく宿題にしておくしかありませんでした。

きっと、国宝に対する冷めた感覚の影響もゼロではないと思います。私は学芸員の資格は取りましたが、美術館に勤める道は選びませんでした。大手の印刷会社に入って、デジタル画像処理の仕事をするようになり、今でいう、フォトショップのような機能を持った、大きな大きなコンピューターを操作する部門に配属されました。

そこでは、デジタル画像処理によってデータ化した美術作品の汚れを取ったり、色補正をしたりしていたので、これを利用すれば、美術の失われた色彩も復元することができるぞ、と確信しました。そこで江戸時代の風俗画の傑作「花下遊楽図屏風」で大正時代の白黒写真の彩色をすることから始め、次に平安時代の絵巻物「地獄草紙（じごくぞうし）」で色褪せた地獄を極彩色にデジタル復元、当時、その成果は非常に高く評価され、これはやる価値のある事業なのを確認しました。

とはいえ、その段階では、「国宝と呼ばれている作品たち」に対して、私は、再評価するにまでは至りませんでした。ただきれいになっただけで、美しい、素晴らしい、すごい、などという賞賛の気持ちは湧き上がってこなかったのです。

しかし、再評価の機会は、早く訪れました。二番目にデジタル復元した「地獄草紙」が、そのきっかけを作ってくれました。

「地獄草紙」はその名の通り、仏教における地獄を連綿と描いている絵巻物で、もちろん国宝です。多くある地獄絵図の中に「鉄磑処（てつがいしょ）」という地獄がありました。その地獄では、獄卒（ごくそつ）という鬼たちが、罪人たちを磑（うす）の中に押し込んで、ゴリゴリと砕くという陰惨な情景が描かれています。

デジタル復元を経て色がきれいになったその地獄は、あまり怖くありません。復元前、おぼろげで儚（はかな）いような画面が、ぞぞぞという怖さを醸し出していたのですが、色がはっきりして怖さが半減してしまいました。獄卒たちの表情は、ユーモラスでさえあります。

デジタル復元の試みは失敗かとあきらめようとしたとき、ひとつ思いついたことがあります。

「昔の人は、これをろうそくの灯りで見たのではないか」

さっそく、画像をコピー用紙にプリントアウトし、いくつかの場面を横につないで、くるくると巻いて、簡易的に絵巻物を作ります。

部屋の照明を消して、カーテンを引き、ろうそくに火をつけて、そろりそろりと鉄磑処を広げていくと……

まずは、血の水たまりが目に入ります。そして暗闇から立ち現れる赤い獄卒……。ろうそくの揺らめく灯りによって、ユーモラスに見えた笑顔が不気味に動いて見えます。さらに広げると、罪人を碓へとねじこむ緑の獄卒。その目がキラリと光りました。暗い背景は、部屋の暗闇と一体化し、境目が分からなくなっています……

これでした。平安貴族が目にした「地獄草紙」の本当の姿です。ここで、賞道の根本である、

【当時の色彩を、当時の人々と同じような環境で鑑賞する】

ことの大切さに気づいたのです。

そうしてみると、屛風はちゃんとジグザグにして、座って見上げないと分からないし、襖絵は部屋の形に整え開けたり閉めたりしないと分からない、もちろん絵巻物はくるくるスクロールしないと分からないことが分かってきました。

つまり、手でべたべた触って、こちらから引き出さないと魅力が伝わらないのです。

考えてみれば、襖絵はもともと襖です。屏風も部屋を仕切ったり風を遮ったりする道具です。絵巻物は、鑑賞するものですが、手で触ることが前提です。今は、国宝とされている作品の多くが、もともとは手で触れることを前提にしたものであり、美術館で展示されているように「つんと澄ましている」ことはなかったのです。

触ると、色々と魅力が分かってくる……。私が国宝を再評価するようになったのは、「畏れずに触る」ことに気づいたからなのです。

第2章

これはもうアニメでしょ

※平治物語絵巻の『六波羅行幸巻』が、国宝に指定されています

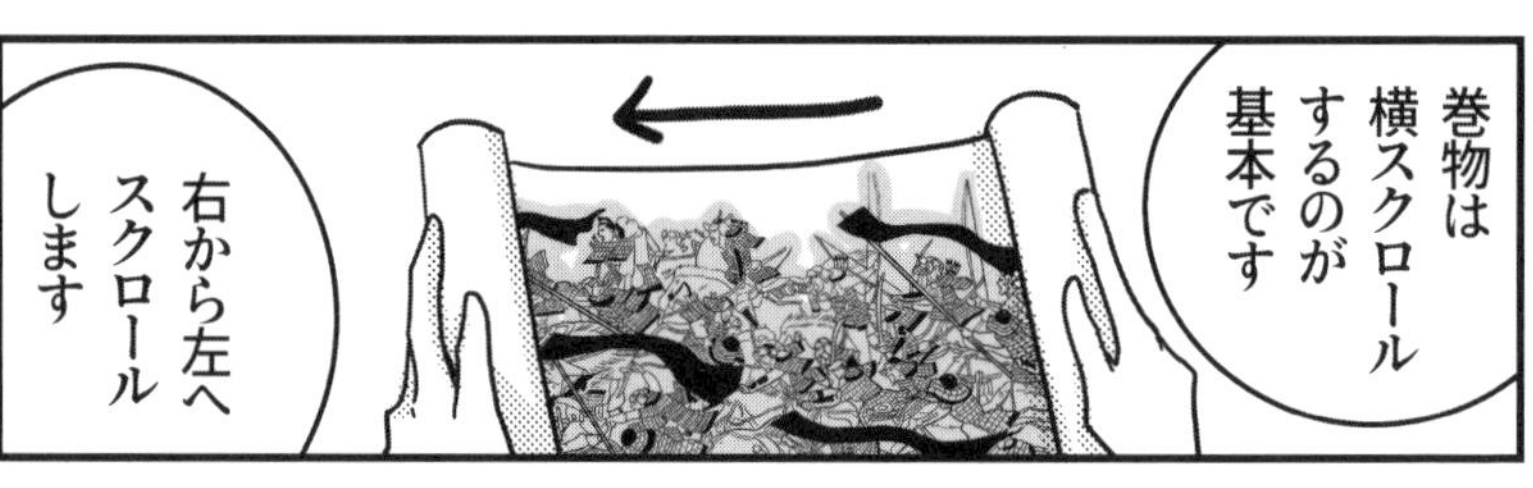

引く（＝俯瞰）の視点

旗の導線が美しい！
ひく
この旗の導線が導く先を見てください

近く（＝アップ）の視点

…首が首が切れてる！
近く
諸行無常です

首を狩った男の首を
別の武士が狩ろうとしている
勝ち負けはすぐに変わるかもしれない
万物は流転する
それが私たちなんだと納得しているさまが
美術品に取り入れられています

これが当時の死生観です
生死は隣にあるものなんだ

こちらに注目してください
詞書です

これは

絵巻のシーンの切り替え
漫画の場面転換みたい
歌のうまい人に読ませて
ナレーションの活用もしていました
声優みたい
言うなればアニメですね
アニメ
すごい!
媒体は違うけど
現代もいにしえも表現に類似点がある
ふ～ふ～ふ～

こうやって絵巻物は楽しむ

「絵巻物って、知っていますか？」

たいがいの方は、この質問に対して、「知っている」と答えます。美術の教科書にも載っていますので、どんなものであるかは理解していらっしゃいます。皆さんも、少なくとも鳥獣戯画（ちょうじゅうぎが）で、うさぎとカエルの相撲のシーンは誰しも見たことがあるかと思います。

では、

「リアルな絵巻物を、見たことはありますか？」

レプリカでもOKですし、なんならおもちゃ的なものでもOKにしたとしても、「見た！」という人となると、かなり数は減ってきます。実際、美術館に行かないとなかなか見る機会はありませんし、日本美術の美術展に行くという方は、今では相当意識高い系な方々。現代の日本人は、日本美術よりも西洋美術の方が好きですから。

さらに……

「絵巻物に、触ったことがありますか？」

この問いに、Ｙｅｓと答えた方は、まだ数える程度しかお見掛けしていません。そういう方は、家が古くからあり、蔵が敷地内にある、というような地方のお金持ちか、日本美術の骨董収集を趣味にしている方です。それ以外のほとんどの方が、首を横にふります。

もったいないな〜、とつくづく思うのです。というのも、この絵巻物はタイムトラベルを始めるのには、最高の道具なのです。いわば、手軽に免許が取れる原付のようなタイムマシーンとでも言いましょうか。しかも、このタイムマシーン、自分の手で簡単に作ることができます。なんと、無免許でマシーンを作り、無免許で運転もできる！

小学生たちの夏休み自由研究向けに、「〝えまきものにっき〟をつくろう！」というワークショップを、何回かやったことがあります。

絵日記はどなたでも、夏休みにやった記憶があるかと思いますが、それを絵巻物のようにやってみよう、というものです。基本的には簡単です。夏休みのちょっとした思い出を、４コマ漫画にするように考えればいいのです。

例えば、夏休みですから、「プールで25ｍはじめておよげた！」をテーマにして、横長の紙に、こんな絵を描いてみます。まずは、日記部分から。

「7月26日（日）きょうは初めて足をつかずに、25ｍ泳げました。どきどきしたけど、がんばりました。とってもうれしかったです」という感じで、文章を右端に書いておきます。続けて、フレームのない4コマ漫画右から左へ同じアングルで描きます。同じアングルなのがポイントです。

「ガンバルぞー」→「く、くるしい〜」→「あともう少し……」→「泳げた！　ヤッター」

という内容で描いたら、左端に、太めの丸い棒（軸）をつけます。そしてくるくると巻くと、〝えまきものにっき〟のできあがり。

右端から、ゆっくり開いていくと、「7月26日……」の日記部分が顔を出します。本物の絵巻物にも「詞書（ことばがき）」と言って、始まる物語の由来や概要を説明したり、次に登場する場面の解説をする箇所があります。日記部分からさらに次の画面へと進める際は、右手で巻き取りながら、同時に左手で紙面を開いていきます。これが、絵巻物の操作方法です。ちょうど、一コマが見える範囲で、一度広げるのを止めるのがコツです。

以上のような操作方法で「えまきものにっき」を見てみると、

1．気合の入った、男の子。
2．元気よく泳ぎ出した様子。高く上がる水しぶき。
3．失速し、水しぶきもあまり上がらない様子。

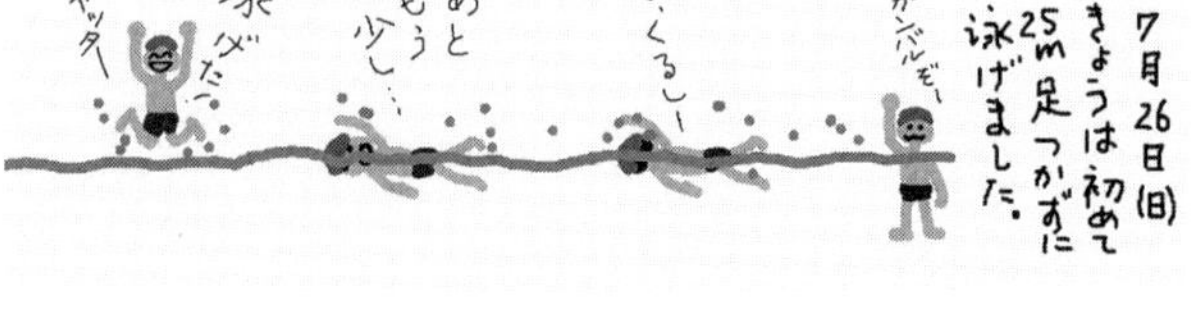

4．喜び、飛び跳ねて、ガッツポーズを決める。

これらの画面が、次々と展開し、まるでアニメーションのように絵が動いているように感じられます。これが、「絵巻物はアニメーションのルーツ」と言われるゆえんです。

もうひとつ、工夫してこんな使い方もありますよ、という作例をご紹介しましょう。

絵巻物を縦に使います。軸を上にして、下から上へ広げることを想定して作ります。最初に出てくる紙面に、先ほどと同じように日記を書きます。今回は、次のような文章です。

「7月26日（日）、近くで花火大会がありました。大きくてきれいでした。ドーン、という音がおなかにひびいて、びっくりしました」

ここまでは前回と同じです。異なるのは描く絵がひとつだけということ。そして、下から上へ描いていくということ。まずは花火を、ひゅーぅ、っと打ち上げるときに見える、しっぽのような一筋を、長ーく（4コマ中3コマ分）引いておきます。そして、最後（1コマ分）、開いた花火を大きくきれいに描きます。

カンのいい方は、もうお分かりでしょう。同じようにくるくる巻いて、軸が横になるように置き、下になった紙の端を押さえます。そのまま軸をするすると上へ広げていくと、まずは同じように「7月26日……」の日記が始まります。

次は、前回と違います。下は巻き取らず押さえたまま、上へと広げていきます。

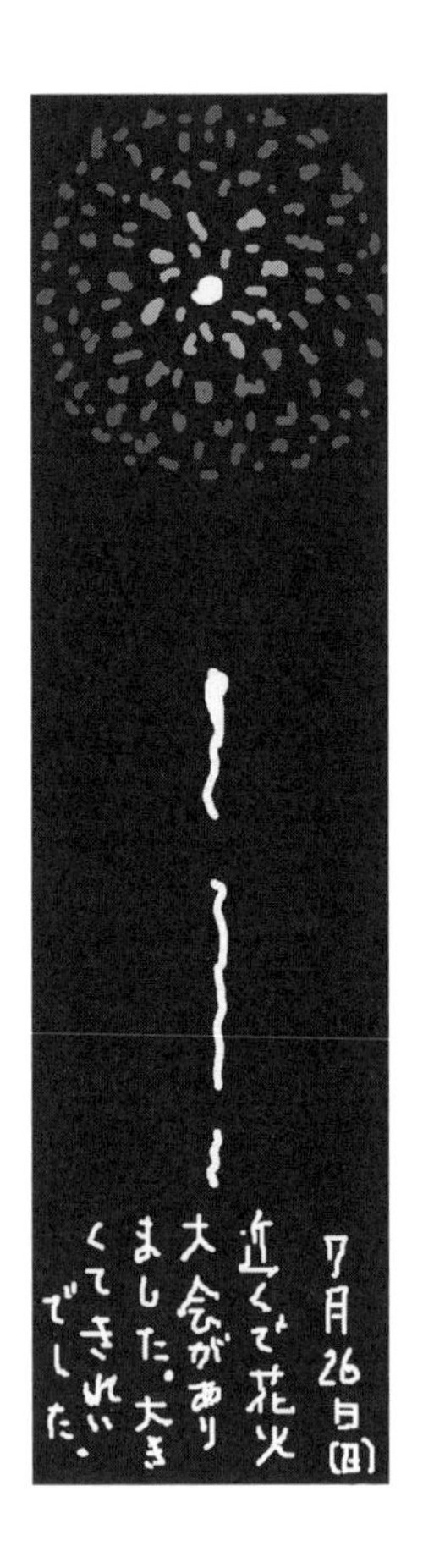

ひゅーぅ……

花火の尾っぽが、長く長く引かれていったのち、最後まで紙面を広げます。すると、ドーン！

っと、大きく開いた花火が見える、というシカケです。これもアニメーションのように動きがあります。

どうでしょう、「えまきものにっき」って、面白くないですか？　私は、本当に小学生の皆さんに、「えまきものにっき」を作って、わいわい楽しんでほしいと思っています（ワークショップに関心のある方は、ぜひ、本書の最後にある私の会社のホームページからご相談ください）。

〝えまきものにっき〟をお勧めするのは、物語を作ることで、物語を伝えるための理論と思考を育ててほしいからでもありますし、それ以前に、アニメーション的なものが日本には昔からあること、今の私たちの血にも流れていることを感じてほしいからです。難しいことはありません、なぜなら、今の子供たちも、毎日アニメや漫画に熱中しているのですから。

〝すみませーん、そのボール投げてくださーい！〟効果

絵巻物が、アニメーションのように動くということが分かったかと思います。でも「絵巻物はアニメーションのルーツ」と言われる理由は、たんに絵に動きが出る、という意味だけではありません。

さすが昔の人々は、絵巻物の達人です。絵巻物の構造と演出法を熟知していて、それをいかんなく発揮するテクニックを持っています。それによって生み出される効果は、本当にアニメ的で驚いてしまいます。

いや、言い方が変かもしれません。絵巻物の方が先に登場したのですから、私たちがアニメで見る効果が、「いかに絵巻物的か！」というのに驚く、というのが正確なのでしょう。

その驚きを紹介するのに、うってつけの絵巻物があります。「年中行事絵巻　祇園御霊会(ぎおんごりょうえ)」という作品です。詳しくは、次の項でご紹介しますが、実は、オリジナルは失われて伝わっていません。しかし、現代に伝わっていたら、国宝なのは間違いないとされています。

さて皆さん、例えば、アニメ番組の冒頭で、こんなシーンを見たことはないでしょうか。

（絵コンテをご覧ください）

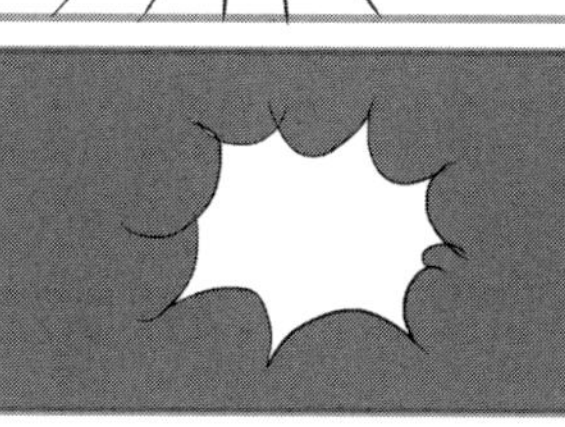

いきなり、ボール！

「痛！」

あなたは、頭を押さえながら、体を起こし、足元のボールに目を落とします。

ここは、河川敷の野球練習場。あなたは、土手の草っぱらに腰を下ろして、ぼんやり小学生野球チームの練習風景を眺めていたところ。そこへ、ファールボールが飛んできて、見事命中したのでした。

ボールを拾い上げたとき、
「すみませーん、そのボール投げてくださーい！」
という声が響きます。
そして、あなたはボールを投げ返した……

主人公が、正確に小学生へ投げ返した、あるいは、いたずらで、小学生とは違う方へ投げ返した、はたまた、運動音痴で投げようとしたら土手から転げ落ちた、などなど……、ここからの展開はいく通りも考えられますが、最初の最初、このアニメの世界に飛び込む引き金となった「飛び込んでくるボール」は、いわばきっかけづくりの常とう手段と言えるでしょう。

今のシーンを前提に、平安時代の絵巻物「年中行事絵巻」を紐解いてみましょう。
そろりそろり、ゆっくりと開いてみると……

いきなり、◎※☆%！

いや～びっくりしました。びっくりしたので、何が飛んできたか分かりません。も一度見てみると、「鼓（つづみ）」です。能や歌舞伎で、肩などにのせながら、「よぉ〜、ポン！」とやる、あの打楽器です。人気の「すゑひろがりず」が、鼓を使って漫才をしていますから、若い人でもお分かりでしょう。

見直してみると、派手な衣装に身を包んだ人たちが輪を作り、輪の中にいる同じ格好の一人が、この鼓を高々と投げていたのです。

いきなり！　思わずクローズアップの視線

視線をズームアウトしてみると、田楽を楽しむ見物人

……気がつきましたか？

「なんだ？　なんだ？　鼓かぁ〜。この派手な衣装の人が、投げていたのか」

と思わず口にしている段階で、もう、あなたは絵の世界に入っているのです。まったくもって、「飛び込んでくるボール」です。

美術館等で展示されている絵巻物は貴重な国宝であって、触ってはいけなくて、汚れていて何が描かれているか分からなくて、しかも、だら〜んと広げているので動きもなくて。そんな状態なので、私たちは絵巻物から拒絶されていると思っているかもしれません。

しかし、【制作された当時の色を、制作された当時と同じ方法（環境）で鑑賞する】と、絵巻物の方から、絵の世界へ引きずり込んでくれるシカケになっていることに驚くはずです。

いつも「すまし顔」で陳列されている絵巻物たちは、やたらおしゃべり屋たちなのです。

平安のエレクトリカルパレード

「いきなり鼓」によって絵巻物という異空間に入ることができれば、あとは簡単です。そこから、いにしえの絵師たちが演出した、構成という波に乗っていけば問題なくタイムトラベルができます。

現代のアニメ同様、絵師たちはいかに物語を進めるか。随所に工夫を凝らしています。そのため、ここで私が何も説明しないで絵巻物を見ていただいたとしても、なんとなく絵師が表現したいことは理解できると思います。鳥獣戯画が説明なしで楽しめるように。でも、現代の常識と、平安の常識はまったく違うので、「当然分かるでしょ」的に描かれている場面にちょっと説明が必要だったりするのも事実です。

なので、この絵巻物についての説明を軽くします。でも、ホント軽くです。というのは、この「祇園御霊会」は、実は京都の「祇園祭」だからです。つまり、今も続いている祭りの風景なので、前知識がなくても雰囲気を実感できる部分が少ないからです。

では、「祇園祭」はご存じですか？　京都の夏を象徴する平安時代から続くお祭りです。

各地区が山鉾（やまほこ）という大きな山車（だし）を繰り出して、大通りを練り歩き、優雅で壮観な風景が展開します。

しかし、現代の祇園祭では一番有名であるはずの山鉾が、実は「祇園御霊会」には描かれていません。この絵巻物は、この祭りが始まったころの原形を描いています。山鉾が登場したのは室町時代と言われ、そういう意味では、豪華絢爛（けんらん）な今の様子とは異なります。

祭り本来の目的は平安時代も室町時代も、そして今も変わっていません。八坂神社に祭られているスサノオノミコトは、夏になると疫病を流行らせ、災いをもたらすと恐れられていました。そこで、夏の日に祭りを開催し、スサノオノミコトの荒ぶる魂をお鎮めしようと、舞踊や競技などを御覧に入れる、というのが祭りの趣旨です（そういう意味では、やはり現代は「山鉾すごい！」「〝こんちきちん〟は風情があるな～」「出店が楽しみ！」と、趣旨が変わっているかもしれません……）。

場所は、神聖な神社ではなく、いわば〝パーティー会場〟で開催します。「御旅所（おたびしょ）」と言って、神様が乗り物にお乗りになって移動する、つまり「神輿（みこし）」に担がれて練り歩き、そちらへたどり着くことになります。

巫女は気取ってすまし顔。パレードに華をそえています

競馬の騎手。落馬で周りはおおさわぎ

数々のエンターテイナーたちを紹介していきましょう。まずは田楽（でんがく）です。アクロバティックな動きも含めて、当時の人々に、非常に人気のあった演芸です。あの鼓を、

ポーン！

と高々と投げてキャッチするのは「放下（ほうか）」と言い、やることはシンプルですが、アクロバットとして人気の演目でした。これが後により複雑かつ専門的になって、放下師の技へと発展していきます。

次に登場するのは、競馬の騎手たち。今ではスポーツと考えられている競技の中で、神事として執り行われていたものがありますが、相撲や競馬などは、その好例です。何かに驚いた馬が荒れて、落馬する騎手もいて、あた

鳳凰に鏡を連ねた豪華な様相。かつぐ人たちも誇らしげ

獅子舞の足が素足なのがユーモラス。そして大きな声で歌う楽人

りは大騒ぎです。

巫女の登場です。きれいな女性が、清楚な衣装に身を包み、華麗に舞う姿も、神事には欠かせない演目でした。巫女が馬に乗り、たくさんの従者に守られて進む様子から、どれほど大切にされていたかがうかがえます。

そして獅子舞。現在、正月に見られる獅子舞は一人で行うことが多いですが、当時は二人で一頭の獅子を演じました。そういう意味では、中華街などで旧正月にみられる獅子舞の方が、ここに描かれた獅子舞の様子と似ていたことでしょう。

さあ、いよいよ神輿の登場です。多くの人に担がれて、にぎにぎしくも威容を誇るオーラをまとって、今、私たちの前を通り過ぎていきました……。

描かれているのは以上です（もっと登場キャラはいますが）。内容は、実にシンプルです。横長の画面は、右端が行列の先頭、「田楽」から始まって、最後に左端の「神輿」で長〜い行列が終わるように構成されているのが、分かりました。そして、すでに私たちは、絵巻物を堪能していたことにもお気づきでしょうか。

先ほど、私は、

「今、私たちの前を通り過ぎていきました……」

と書きました。

そうです。田楽から神輿に至る行列が、側道から眺めている私たちの前を、次々と通り過ぎたのです。

「えまきものにっき」で学んだ、絵巻物の操作方法で、もう一度「祇園御霊会」を鑑賞してみましょう。右手で巻き取りながら、同時に左手で広げていくのですが、「祇園御霊会」の場合は1コマずつ区切られているわけではないので、だいたい肩幅くらいまで広げればいいでしょうか。

まずは、「いきなり鼓」から視線を引いて、視野を広くします。すると、

「田楽」→「競馬」→「大幣（おおぬさ）」→「巫女」→「散手（さんじゅ）」→「獅子舞」→「神輿」

と、次々とエンターテイナーたちが左手側から登場しては目の前を通り過ぎ、右手の方へ消えていきます。このときの私たちの目線はまるで、ディズニーランドのエレクトリカルパレ

ードで、

「ミッキーマウス」→「ティンカー・ベル」→「ピーター・パン」→「トイ・ストーリー」→「アラジン」→「シンデレラ」……

と、次々とキャラクターたちが目の前をきらきら通り過ぎていくのを眺めているかのよう。どうでしょう、この巧みな演出！　絵巻物はアニメーションのルーツであることを再確認するとともに、その操作や読み解きは基本的には簡単であること、そして、「いきなり鼓」が見る人が絵の中へと入るきっかけとなったように、時に絵巻物の方からいざなってくれることも、お分かりいただけたかと思います。

さらに付け加えると、音の要素もあります。「祇園御霊会」の冒頭に、ささら（竹や細い木などを束ねたもの）を持った人がいて、〝じゃっ！　じゃっ！〟という邪気を払うという鋭い音を鳴らしながら、先頭を歩いて道を清めたと言います。そして続く競馬の蹄(ひづめ)の音、大幣のさらさらと紙がすれる音、獅子舞のお囃子(はやし)……。絵巻物から音が聞こえるなんて、すごいことだと思いませんか。

〝ああ無常〟すぎるメッセージ

横長の画面を思いっきり自由自在に操って、アニメーションを作り出すアイデアとスキル。当時の絵師たちの才能には、もう舌を巻くしかありません。

「そんな大げさな……」

という声も聞こえてきそうですが、これまで紹介したような「動き」の演出ではなく、「心深く刻み込むメッセージ」を画面構成で演出できたとしたら、どうでしょう。この言葉だけでは分かりづらいかもしれません。

もうちょっと詳しくお話しするために、もうひとつの絵巻物を紹介します。「平治物語絵巻（へいじものがたりえまき）　六波羅合戦巻（ろくはらかっせんかん）」と言います。

作品の背景についても少しだけ説明しましょう。「平治物語絵巻」は、平安時代の終わりに起きた平治の乱をもとに描かれた、合戦の絵巻物です。平治の乱を詳しく話すとややこしくなりますので、この戦で源義朝（よしとも）（頼朝（よりとも）の父）に勝った平清盛が、いよいよ天下を上り詰め、武士の時代の到来を告げた、ということだけお伝えしておきます。

まさに、時代がひっくり返るとはこのことでしょう。今まで貴族にこき使われていた武士が、逆転して貴族を支配するようになったのです。世の中、いつ何が起こるか分かりません。それは、近年特に感じることではないでしょうか。〝常〟というものは〝無い〟。〝無常〟は、今にも通じる言葉と言えるでしょう。

「平治物語絵巻」は元来15本くらいあったと想定されています。ちょうど、民放ドラマのワンクール分です。そのうちの前半部分3本くらいは今も保存されているのですが、他は失われてしまいました。現存する3本のうち、1本は国宝、1本は重要文化財、1本は海外の美術館所蔵です。

今回ご紹介する「六波羅合戦巻」は、15本中

のエピソード14くらいの物語です。クライマックスにあたり、一番盛り上がる神回と言えるもので、残っていたら間違いなく「国宝」です。失われてしまったのになぜそう言い切れるのかというと、その絵巻物のごく一部と全体のスケッチがかろうじて残っているため、「国宝まちがいない！」というスケールの大きさが想像ができるからです。

波乱にとんだ神回なので、そのすべてを紹介したいところですが、紙幅がそれを許しません。一番重要な「三条河原の決戦」シーンだけを詳しく見てみましょう。

左手でゆっくりと紙面を広げていくと、詞書が出てきます。「えまきものにっき」で言う、日記の部分です。昔は、その文章を歌（和歌）の上手な芸術家が読み上げた、というのですか

ら、タレントによるナレーションがあった、つまり、本当にテレビドラマみたいに鑑賞していたと言えます。驚きです。

さらに広げると、武将たちが向かって左手の方に突進しているのが目に入ります。多くが騎乗しておりますが、あまりにも多くが重なり合っているため、人も馬もひとつの塊（かたまり）になっているように見えます。とはいえ、その一方で群衆描写として破綻（はたん）していないのが見事です。絵師の腕の良さに、ため息が出てしまいます。

この群衆描写を面白く演出しているのが、横に流れる赤い「流し旗（ながしばた）」です。これが波打ちながらはためくことで、群衆が躍動しながら突進していく様子を表現しているのです。今日の漫画のように、動きを説明する補助的な線を加えることなく、この動きを再現できていることに、またため息です。

さらに、この赤い流し旗、絵巻物を広げていくと、絶好のタイミングで次々と左から現れてきます。バランスよく配置されているため、引いて見てみると絵としても全体的に美しい。「六波羅合戦巻」が失われてしまったのは、返す返す惜しい、と、またため息がもれます。

自然と私たちは、流し旗のたなびく先を目で追って、群衆の突進の様に引き込まれていきます。またちょっと広げると流し旗、またちょっと広げると流し旗、また……。その先へその先へと視線が移り、そして、最後の流し旗が終わるその先に、今度は「息をのむ」光景を

合戦シーンでありながら、しなやかに、のびやかにたなびく「流し旗」。戦場の空気をはらんで

目にするのです……。

目に飛び込んでくるのは首のない死体。その死体に襲い掛かる武将も、すでに首のない死体と化している。

傍（かたわ）らには武将の首を持つ男。

さらにその背後には、長刀を振りかざし、男に襲い掛からんとする歩兵の姿が……。

この光景には、ただ呆然と立ちつくすしかありません。

今あった命が失われ、その命を奪った命が今また失われ……。勝者が次の瞬間には敗者になる……。栄枯盛衰。盛者必衰。諸行無常。これがこの絵巻物で演出された「心深く刻み込むメッセージ」です。

〝常〟なるものは〝無い〟。
そう、この世はあまりにも〝無常〟……。

敵の武将の首が成果の証拠となるので、しかたないかもしれないが、いやはやなんとも……

見よ、これが絵巻物のポテンシャル

「『心深く刻み込むメッセージ』を画面構成で演出できる」絵巻物のポテンシャル、お分かりいただけましたでしょうか。

絵師は、この折り重なる殺戮（さつりく）シーンによって、平安時代を象徴する心情であり価値観でもある〝無常〟という捉えどころのないものを、ビジュアルでメッセージ化しています。

その重要なメッセージを衝撃をもって伝えるために、はじめはさりげなく展開し、流し旗で群衆の動きを説明しながら、同時に、庭園の飛び石を渡るように、見る者の視線を、次々と出現する流し旗に渡らせ、加速度的に次へ次へと期待感をあおるシカケを仕込んでいます。それはすべて、一番大切なメッセージである〝無常〟を伝えるために、考えに考え抜かれた演出なのです。

それはまるで、漫画家が一番見せたい見開きシーンを効果的に演出するために、そこに至るまでのコマやセリフの流れをち密にコントロールしているのと同じです。

漫画のページをめくるたびに、わくわく感が増幅する感覚が、絵巻物を楽しんでいた当時からあるなんて！　きっと、漫画家が読者を熱中させるテクニックをたくさん持っているのと同じように、絵巻物絵師も、たくさんノウハウをアーカイブして、適材適所に駆使していたのでしょう。

それにしても、悔しいではありませんか。絵巻物にはこれほどまでのポテンシャルがあるのです。なにか愚痴のように繰り返してしまうのですが、これが美術館で体験できるでしょうか。体験できないのはしかたないにしても、これほどまでのポテンシャルがあることを感じさせる展示になっているでしょうか。

「絵巻物に、触ったことがありますか？」という質問に、手を挙げる人の人数を考えると、それが実現できているとはとても思えません。

この章の最後に、絵巻物での演出を知り尽くした絵師たちの頭の中を、さらに深く覗いてみましょう。

「年中行事絵巻」と「平治物語絵巻」を比較するだけで、絵師たちのテクニックのさらなる奥深さを感じることができます。

ご覧いただいた二巻の絵巻物の各場面には、共通点があります。それは、

「大人数が、列をなしている」

というところです。

もちろん、パレードの行進と軍隊の突撃なので、その様相はまったく違っていますが、数多くの人が縦長に列をなし、一定の方向へ進んでいる点に違いはありません。

でも、この二つには決定的に違うところがあります。

「進む方向が逆になっている」。

年中行事絵巻は、左から右へパレードが進むため、列の先頭は右にあります。一方、平治物語絵巻は、右から左へ、先頭は左にあります。同じような図でありながら、進む向きが違うだけで演出がまったく変わってくるのが分かります。

思い出してください。「年中行事絵巻」は、目の前をパレードが通り過ぎていく構図になっていました。一方「平治物語絵巻」は、流し旗を目で追いながら、群衆を追い抜く構図です。これを、カメラワークで考えてみましょう。この二つのシーンを撮影するなら、どうカメラを構えればいいのでしょうか。

「年中行事絵巻」はパレードが目の前を通り過ぎるわけですから、カメラは側道に据え置いていることになります。次々と、ユニークなキャラが登場しては消え、また登場し……。これは面白いシーンが撮れそうです。

もう一方の「平治物語絵巻」は、おそらく昔なら自動車で、今ならドローンで、群衆としばらく並走し、タイミングを見てスピードを上げて追い抜いていく……というカメラワークになります。ときどき、たなびく流し旗にズームイン（あるいは、アップ画面をカットイン？）していく感じになりましょうか。

いや～参りました。カメラのない時代に、このカメラワークです。絵巻物絵師たちの頭はどうなっているのでしょう。据え置くカメラの「地上の目線」と、追い抜いていくカメラの「飛翔する目線」。もしかすると、頭の中にはスイッチャーさえもあったのかもしれません。

もうこれは映画でしょ

ここまでくると、当時の絵師たちの頭の中のカメラワークとスイッチングは、もはや映画のレベルです（レベルが高いという意味であり、アニメーションの演出が、映画よりも下ということではありません）。

そんなレベルの高さを知るにつけ、思い出す絵巻物があります。国宝「伴大納言絵巻」です。長年、色彩をデジタル復元したい、と願っている絵巻物です。

絵巻物のもとになっているストーリーは、今風に言うならば、実際の事件を脚色し再現したサスペンスドラマ。３本の絵巻物で構成され、すべてが比較的いい状態で保存されています。いわば、３部作がそろっている、ということになります。

主人公は、伴善男。大納言という高みに上り詰めたエリート官僚には、源信という不仲なライバルがいました。彼を罠にはめて、その地位を奪おうと、彼はある京の都を混乱におとしめる暴挙に出て、「原因は源信で、謀反を企てている」と朝廷に告発します。一時は、その提言により源信が疑われましたが、調査の結果すぐに嫌疑が晴れ、源信は難を逃れることができました……。

さて、先に出ました「京の都を混乱におとしめる暴挙」とは？

さっそく、絵巻物を紐解いて紹介しましょう。


たたたたたたたた……

複数の男の、走る姿。

ただならぬ雰囲気が漂います。

急いで、小さな門をくぐると、黒山の人だかりです。

「なんてこった！」

「おい、危ないぞ！」

「あー、あー！」

口々に何かを叫んで、騒然となっています。

見ると人々は皆、一定の方向を見上げています。

なんだなんだ!?

見る見るうちに黒い煙が、襲ってきて、
もはや目の前は、真っ黒、視界ゼロです。

すると真っ赤な炎が見え始め、一段と炎が立ち上ったとき、

ドーン！

そびえ立つ、炎の中の応天門！

そうです、伴善男とその一味が起こした暴挙とは、応天門の放火事件なのでした。なんの知識もなく私がこのドラマを見始めたら、「なんだなんだ!?」と言っている民衆の一人となって、いっしょに口をぽか～んと開けて、大門を見上げていることでしょう。

それにしても、このスリリングなドラマの始まり。本当に、映画のようです。もう一度言います。カメラが誕生する千年前の日本という国で、こんなカメラワークのエンターテインメントがあるなんて、信じられますか？

最後に、「もし映画だったら、こんな風に描いたかもしれない」という絵コンテを試作してみました。きっと、当時の絵師も、頭の中はそういう感じだったのではないでしょうか。

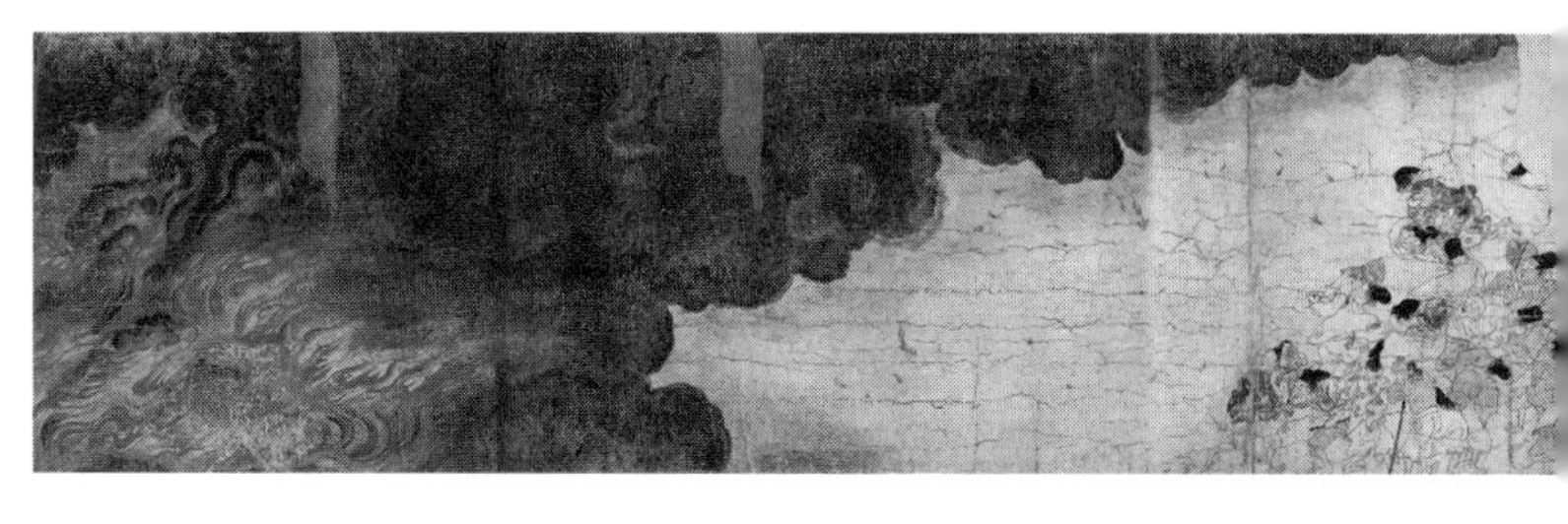

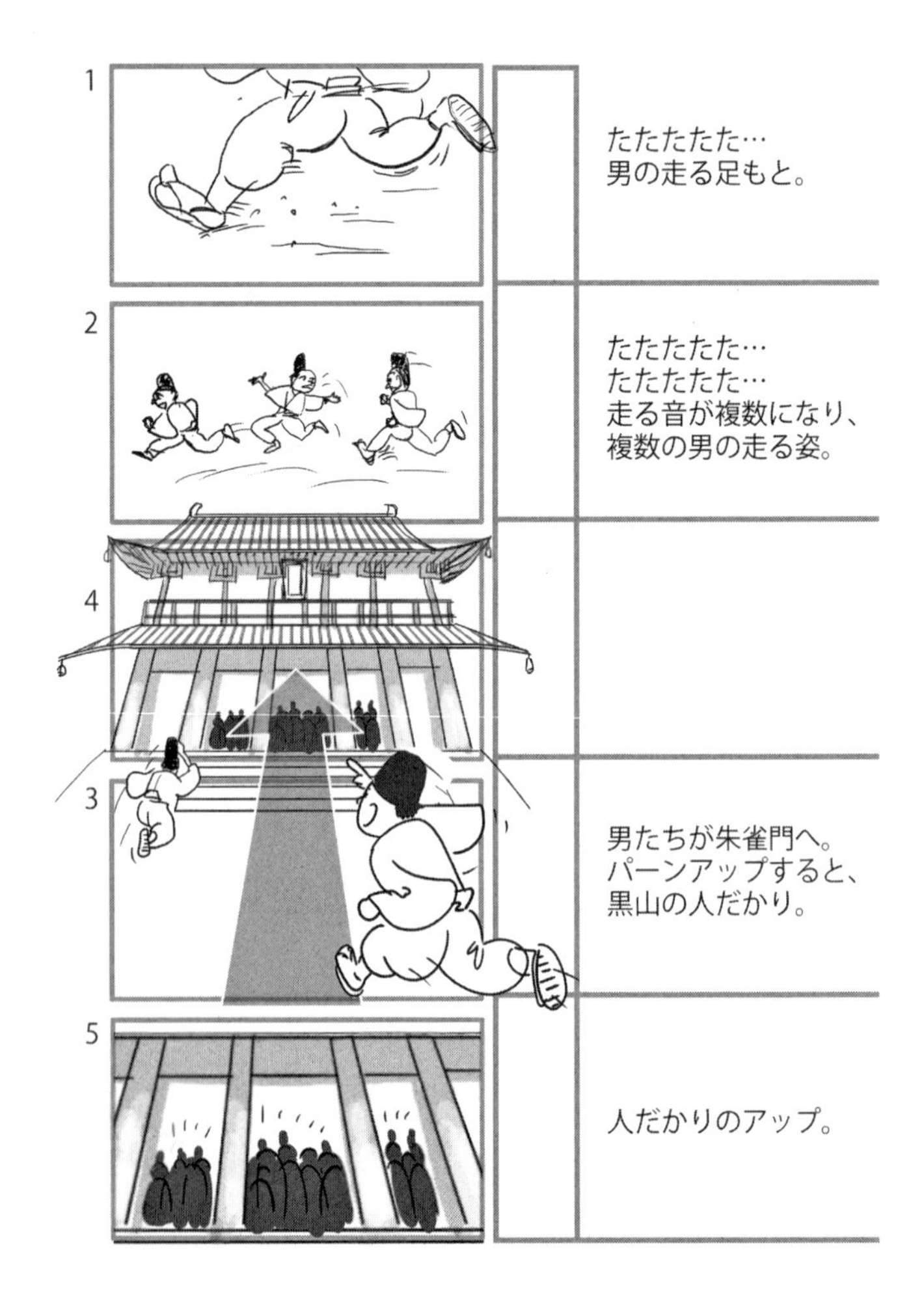
1
たたたたた…
男の走る足もと。
2
たたたたた…
たたたたた…
走る音が複数になり、
複数の男の走る姿。
4
3
男たちが朱雀門へ。
パーンアップすると、
黒山の人だかり。
5
人だかりのアップ。

6
アツッ!
なにやら見上げる
顔、顔、顔…。
その一つが急にゆがむ。
「アツッ！」
7
火の粉に気づき、
逃げ始める人々。
画面のはしから、
黒いものがフレームイン。
8
黒いものの正体は煙。
どんどん大きくなり、
やがて赤い炎が、
フレームイン。
9
画面いっぱいの黒煙。
ズームインしながら
パーンダウンすると、
赤い炎に包まれた応天門。
10

私たちは簡単に、「日本はアニメ大国」と言ってしまいますが、絵巻物のえげつない演出の嵐に吹かれると、それどころではない「アニメの血脈」を感じ、日本人はいつからアニメとかカメラワークの感覚を身につけたのか、はたまた日本人は一体どこから来たのか、などと疑問が疑問を呼び、改めて不思議に思ってしまうのです。

コラム②

子供こそ、日本美術に触れてほしい

上の息子が確か幼稚園生か小学生低学年のころ、ひまわりの花をひとつだけ、横長の画面に無理やりめいっぱい大きく描いた作品を見て、子供の感性というものは計り知れないなぁ、と痛く感動したのを覚えています。私は美術が好きで、絵も時には描くこともありますが、彼にはこれといって教えてきたわけでもありません。でも、ときどき私を驚かせるような絵を描いてきては、私を感動させてくれています。そして私はさらに、人の血とか、遺伝とか、いや、それ以上の人間の表現する本能の不思議さに、感銘するのです。

下の息子も負けていません。小学生中学年のころの作品で黒い画用紙に、赤く厳島神社の鳥居を描きました。それが、いい具合に左右が対称ではなくずれていて、そのデフォルメされた感じが見る者を絵の中へ導く効果がありました。また、さらさらっと描いた富士山も実に味があって、うまくトリミングして掛け軸風に仕立て、床の間にかざりました。あの感性、計算して描けるものではありません。

それがいつからでしょうか、もちろん思春期なので、自分の作品を見せること自体がなくなったのですが、どうも、積極的に絵を描くことを楽しんでなさそうな感じになってきました。感性の赴くままに細かく描いていたら色を塗るのに時間がかかり、完成が間に合わなかったり、描き方が分からない、と自分で描くのをあきらめたり……。何か、絵を描く行為が、成功か失敗か、完成できるかできないか、というような短時間に明快な結果を出さないといけないものになり、それが負担になっているようなのです。

美術は受験にはあまり関係のない教科ですし、学校は時間で区切って進めなければならないので、だんだんと美術制作が自由に思いっきりできなくなってくるのも仕方ないのですが、楽しい、面白い、からひらく感性までなえさせる結果となる現状は、残念としか言えません。

いつしか絵を描くこともしなくなり、すべてのことに短期間で明快な結果を求められる大人社会への適応が、だんだんとなされていることを感じて、何か小さなため息をついてしまうのです。

そこで活用したいのが、「鑑賞」です。鑑賞は、絵を描く必要がありません。なので時間は必要ありませんし、絵がうまい下手も関係ありません。授業の時間をめいっぱい使って、ひらめきを大切に色々と想像の翼を広げながら、鑑賞によって芸術的感性をみがくことが可能です。

息子たちのような学生たちに、「賞道」を積極的に紹介する活動を行っています。特に小中学校向けには「賞道」という堅苦しい名前ではなく、「国宝をべたべたさわろう！」とタイトルをつけた、楽しさ重視の講演会です（……というか、体験会でしょうか……）。ジグザグに折れる屛風を座って下から見上げてみたり、いにしえの古墳石室に寝っ転がってみたり、くるくるスクロールする絵巻物、それに、するすると床の間にかざる掛け軸……。どれひとつとっても、ただじっと前に立って眺めているだけで成立するものはありません。

それは、じっとしているのが苦手な子供たちには、かえって好都合です。遊んでいいんだ、と分かると、子供たちは果敢に美術品に挑みかかっていきます。

ときには、奈良時代に盛んだった伎楽というおどりのお面をつけて、おどけてもらったりしています。このお面は名前が「酔胡従（すいこじゅう）」と言って、真っ赤な顔をしています。酔っぱらった家来を表すお面なので（レーサーのヘルメットのようにすっぽりとかぶるお面です）、かぶった人には酔っぱらった真似をしてもらうのです。

クラスで一番のひょうきん者だと、実に面白く酔っぱらった真似をして、それはそれは大いに盛り上がります。お面をつけているのに、しゃっくりをしている様子も分かったりして、見ている子供たちはおなかを抱えて笑い転げています。こんな美術の授業なんてあるでしょうか。

また別のときには、着物をはおる体験もしてもらっています。次の章で紹介する、淀殿（よどどの）の打掛（うちかけ）です。小学生には、単純にはおってもらって、お姫様気分を味わっていただくのですが、中学生ともなると、思春期ですのでそう簡単に喜んではもらえません。そこで、寸劇をしてもらうのです。

淀殿の役は、はじめ後ろを向いています。私が、「よ～い、スタート！」と言うと、テレ

ビドラマ「大奥」で見るように、打掛のすそを翻すように振り向きながら、

「誰か、誰かおらぬか！」

と、言ってもらいます。それだけで、会場は笑いに包まれます。

そこへ、家来役が走り寄ってきて、ひざまずき、

「御前に、候～」

と言いつつ、かしこまるように演じてもらいます。これだけ。これだけなのですが、これが、また受けるのです。

普通に姫は女子、家来は男子でもOKですが、姫が男子で家来が女子でも盛り上がりますし、家来が先生だったりするとなおさらです。

もちろんこれでは、寸劇がメインになってしまうので、その前に、ちゃんと舞台を整えます。場所は、大坂城の大広間。大広間の奥に、淀殿がいる、という設定で、場内はやや暗くします。控える家来からの目線を再現しているのがポイントです。

ほの暗い大きな空間に、赤い地に金糸を縫い込んだ打掛は、遠目からも鮮やかで、きらきら輝いています。そうすると、明るいところで見る打掛とは異なり、なにかミステリア

スな雰囲気をまとうのです。

そうです、

【制作された当時の色彩を、制作された当時と同じ方法（環境）で鑑賞する】ことは、しっかりと実践した上での、寸劇なのでした。

もうひとつ、特に子供たちに体験してもらいたい「賞道」は、「絵巻物」です。前の章でご紹介した通り、絵巻物は「アニメーションのルーツ」と言えるものです。現代の子供たちが熱中している漫画やアニメの代わりに、きっと昔は同じように絵巻物に熱中していたことでしょう。

巻き取るたびに展開する場面、勢いを表す線や、鳥獣戯画には「吹き出し」もあります。改めて、驚くのです。日本人に脈々と流れ続ける、この「漫画やアニメーションの血脈」です。二次元の中に、限りない世界を展開し、本当は動いていない絵を、動きを表す線や、感情を表す線を補うことで、頭の中で巧みに動画として瞬時に再生し、心からそれを楽しむ才能です。

私たちは、戦後、西洋美術に圧倒され、西洋美術のもとに美術教育がなされてきました。いつしか日本美術は、美術というよりかは歴史の中で語られ、日本人なのに、日本美術よりも西洋美術の方が詳しい、というような状態にまでなっています。でも、絵巻物に触れれば、そのとたんに「漫画やアニメーションの血脈」が流れ始め、違和感なく異空間にどっぷりとはまっている自分に気づくのです。

現代は、なかなか子供たちには自分たちが日本人であることが、実感できない環境にいます。ネットやICTにより、いつでもどこでも情報は氾濫し、話題になる内容も、世界共通になってきています。アメリカでバズったものは日本でもすぐに広まり、次にフランスでバズったものがアメリカの話題を駆逐して日本に広まり、今度はブラジルの話題が……。目まぐるしく情報が入れかわり、うつろっていきます。そして、毎日変わり続ける情報におぼれ、考える時間もなく、意見も定まらず自分を見失いがちになります。

そのような中で、絵巻物をはじめとする日本美術は、体を動かし、作品に触れることで、容易に日本人のDNAを目覚め起こし、何かゆるぎない大切な芯なるものを子供たちに伝えることができるのではないか、と思っています。

考えてみると、日本美術は広く言えば道具です。美術ではありません。それを西洋美術のように、展示し、触ることなく正面からじっと眺めることで、だんだんと分からなくなり、自分自身もアイデンティティーも見失ってしまうことになってしまいました。

なので、日本美術を美術としてではなく、道具として触り、子供たちに自分たちの体に流れる血を感じてもらうには、日本美術と名づけられた、とくに国宝ブランドを触ってもらうのが一番なのです。

第3章

秀吉時代の〝おたがいさま〟事情

安土桃山時代の藤文様小袖を再現した着物です
淀殿はこのような着物を着ていました
淀殿は豊臣秀吉の側室だよね
藤の花や葉っぱの刺繡を見てください

現代の刺繡がみっちり正確なのに対し
桃山の刺繡はスッカスカ
糸の間も空いている
見た目よければそれでオッケー!
え?
次にこれも見てください

檜図屏風
レプリカ
です
ガラッ
豪快な
筆さばき！
これも
国宝！

筆さばきが
おおざっぱ！
作業工程の
簡略化です
え？
そうなん
ですか？
はい

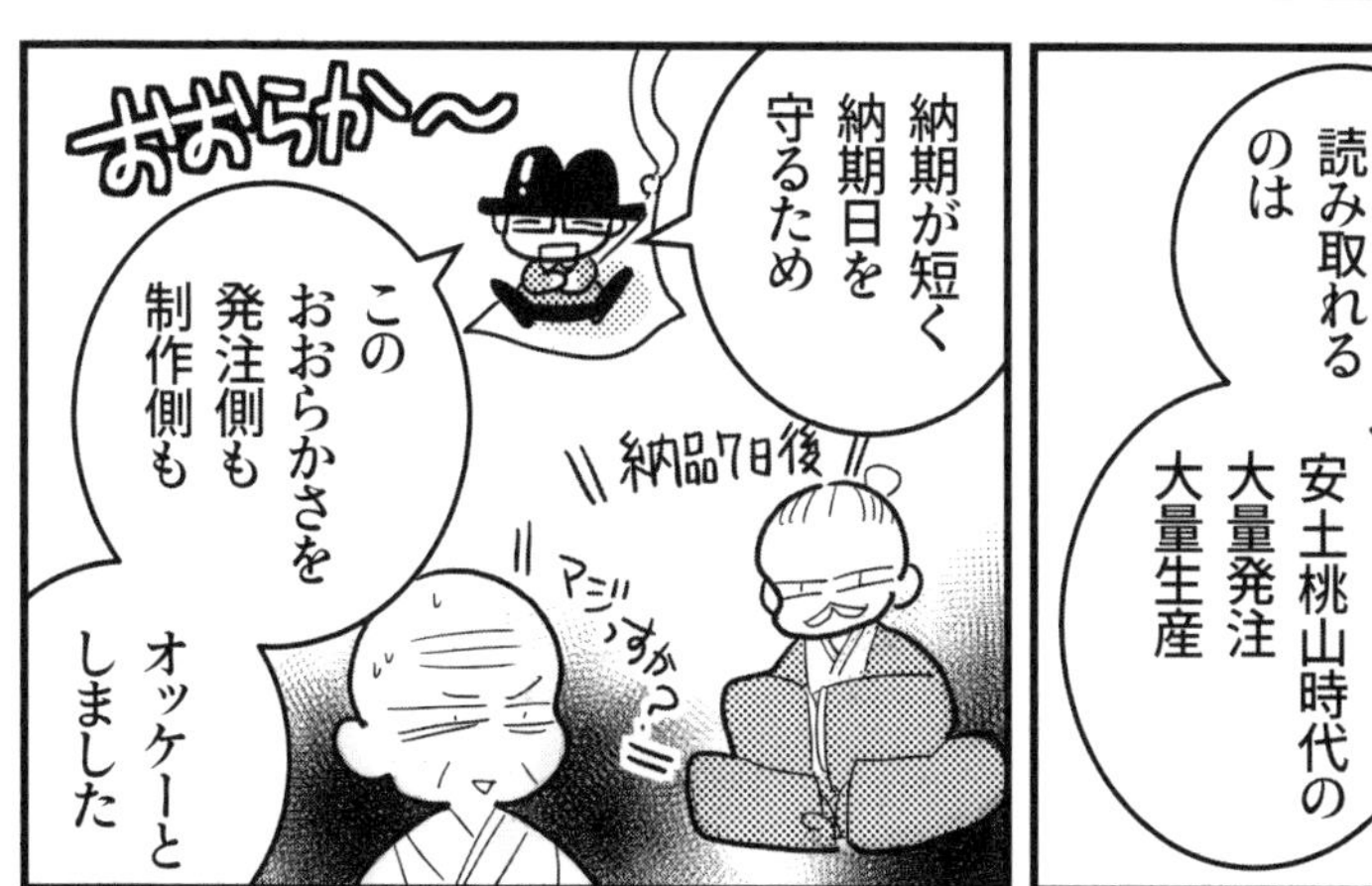
これらから
読み取れる
のは
安土桃山時代の
大量発注
大量生産
納期が短く
納期日を
守るため
このおおらかさを
発注側も
制作側も
オッケーと
しました
おおらか〜
納品7日後
アジ、すか？

着物作家や
絵師の気持ち
わかる!
すごく
面白い!!

今までの
美術館の
鑑賞は
これ

解説を
読んで
ガラス越しの
作品を見る

私は
わかった
つもりで
いたってこと?

醍醐の花見ってどんだけやねん

前章のめくるめくカメラワークで、ちょっと疲れました。今度は落ち着いて、美しいものでも愛でてゆっくりしましょうか。お花見なんていかがですか？

それでは、皆様をあの「醍醐の花見」にご招待いたしましょう。

「醍醐の花見」は、安土桃山時代の天下人・豊臣秀吉が慶長三年（１５９８年）の春、京都伏見の醍醐寺で行った、盛大なる花見のことを言います。盛大なる花見、と言っても、「ＢＢＱのグリルでステーキジュージュー」「カラオケ設備もＯＫ」「久保田の純米吟醸持ってきた」「ミシュラン☆獲得イタリアンのケータリング」程度ではございません。

なんと、招待したお客様だけで１３００人。スタッフを合わせると５０００人に上ったと言います。なおかつ、すでに桜の名所であるのに、さらにプラスして植樹を７００本。敷地内に八つの茶屋を設け、女性たちには強制的に2回着替えよと、三着の着物を支給。その衣装の予算だけで、現代の価値に換算すると37億円かけたと言います。もう、バブル期の電通の忘年会や「桜を〇〇る会」でさえ、足元にも及ばない規模だったのです。

え～……、疲れをいやすためのお話だったのに、また何やらヘビーな感じになってしまいました。

では、きれいな着物に身を包んだ貴婦人たちに話を移しましょう。このとてつもない花の宴の主人公は、豊臣秀吉ではありませんでした。秀吉はあくまでもホストで、きらびやかな衣装に身を包んだ、貴婦人たちこそが主人公です。

まずは北政所（きたのまんどころ）、秀吉の正室です。次に、秀頼を産んだ淀殿、3番目に京極竜子（たつこ）、松の丸殿と呼ばれていました。4番目三の丸殿、5番目に加賀殿と、ここまでが側室で、6番目に前田利家の正室・まつが続いたと言います。

歴史にその名を刻んだ貴婦人たち。その波乱にとんだ人生の先にあった極みの頂に立ちながらも、さらに高みを極めようとする彼女たちの生きざまを伝えるエピソードがあります。

いよいよ盛大なる宴の幕を開けようと、秀吉より貴婦人たちにまずは一献（いっこん）、となりました。

一番に杯を受けるのは、もちろん正室の北政所。

「ねね（北政所の名前）、ようここまで支えてくれた、今日は花に酒に、酔おうぞ」

「はい。しかしながら、最近はお酒にも弱くなりまして……」

と、言いながら、奈良の銘酒「平野」を、ぐぐ～っと見事に飲み干しました。胃潰瘍に悩んでいる秀吉は、腹あたりをさすりながら羨ましそうにそれを見つめています。

北政所が、桜の蒔絵が施された杯を一度払い、さて次は淀殿に渡そうとしたときに、目の前に差し出された手がございました。見上げると、松の丸殿・京極様でございます。

「ここは私がいただきましょう」

当然、自分が次と疑わなかった淀殿は、黙ってはおりません。

「松の丸殿、私めがまだいただいておりませぬ」

「これは異なこと。もともと（淀殿の）浅井家は、わが京極家に仕える身。当然ながら、この私が次に杯をいただく……」

「何をたわけたことを！　戯言は、世継ぎを産んでから申されよ！」

「これゆえに、にわか者には手が焼ける。そなたよりはるか前より秀吉様に仕えておるからこその、この日のねぎらい」

口では勝てぬと悟ったか、淀殿は秀吉の方に向かい、

「茶々（淀殿の名前）が、あのように言われておるのに、黙っておられるのですか!?」

と言うも、さすがの天下人も眉をハの字に寄せるばかり。

その時、もうひとつ白い手が、しゅるる、と現れ、しなやかに杯を受け取りました。

「客人を忘れてはおりませぬか？　まずは、招かれた者をもてなすが、宴の理。ここはま

ず、まつがいただきとう存じます」

そうです。正室でも側室でもない、前田利家の妻・まつが、機転を利かせてその場を収めたのでした（あくまでも雰囲気重視で、かなり演出を加えて描きました）。

と、まあ、そんな自己顕示欲の強そうな貴婦人たちへ手渡された三着ずつの小袖。どれほどまでの豪華さか、想像もできません。

しかし、私は、あるきっかけがあって、実は淀殿の着物を復元したことがあるのです。

豪華絢爛、淀殿の小袖復元！

私の著作物にたびたび登場する「花下遊楽図屛風」という作品があります。もちろん国宝です。なぜそれほどまでに取り上げるかというと、実は、この作品が私がデジタル復元師として活動するきっかけとなった作品だからです。

この屛風は不思議な体裁をしています。六曲一双という形式で、六枚のパネルをジグザグに連ねたものを二つ、左右に並べるのですが、右側の屛風の真ん中2枚がのっぺらぼうになっています。のっぺらぼうなのは、大正時代、この二枚だけを表具屋さんに修理に出していたときに、関東大震災の惨禍に巻き込まれ、焼失してしまったからです。

ただ、大正時代には白黒写真は普及していたので、この部分に何が描かれていたかは分かります。焼失前に撮られ

「花下遊楽図屛風」。最近は、真ん中に白黒写真をはめ込んで、背景だけ現状のテイストで復元したレプリカが展示されるようになりました

たその白黒写真を見ると、屏風の中では、大きな桜の木の下で、貴婦人を中心に宴が繰り広げられていることが分かります。そうです。「花下遊楽図」とは、「桜の木の下で、花見の宴をしている図」で、このように大きな花見の宴ということは、「醍醐の花見」を意味していると言えます（正確に言うと、当時の人々はこの絵を見て、自然と「醍醐の花見」を〝見立て〟た、という意味です）。

前述の通り、醍醐の花見に登場する貴婦人と言えば、秀吉の正室と側室たち。屏風に描かれた貴婦人は若いですし、正室の北政所ではなさそうです。私はこの貴婦人を淀殿と推測しています。対（つい）となる左の屏風には、八角堂（はっかくどう）に貴公子が腰を掛けている様子が描かれています。「醍醐の花見」のときに生まれている貴公子、つまり世継ぎと言えば秀頼（ひでより）です。「貴公子＝豊臣秀頼」ということから「貴婦人＝淀殿」と推測されるのです。

私はまず写真や資料をもとに、屏風の失われた部分を、デジタル技術で色彩復元しました（本書冒頭カラーページ参照）。資料のひとつは失われる前に屏風を写したスケッチで、それによると「貴婦人＝淀殿」が羽織っている打掛の色は「地赤（じあか）」。

貴婦人たちの着物は、醍醐の花見のきらびやかさを象徴するものです。この着物自体を復元すれば「花下遊楽図屏風」で描かれるような、当時の時代の空気も分かるはずです。

ということで、この貴婦人が着ていた赤の打掛そのものを復元しようという話が持ち上がり、それは実行に移されました。「淀殿の打掛復元プロジェクト」です。

着物の絵柄は、藤です。資料によると花は白、葉は明るい緑、蔓は金色と、どれも下地の赤に映える色で構成され、くっきりと絵柄が浮かび上がるようになっています。何とも華やかな色合いです。淀殿は、やっぱド派手好きなんでしょうか。

まずは、桃山時代に制作された刺繡の様子を見てみます。運よく桃山時代の、しかも藤文様の刺繡がされた古裂が手短なところで見つかりました。古裂をそのままスキャニングし（写真データにし）、刺繡の絵柄の汚れや糸のほつれなどをデジタル画像処理で修正したのち、花、葉、蔓の種類に保存し、データベースを作ります。

さらに画像処理で、データベースから適宜それぞれのパーツを呼び出してはジグソーパズルのように組み合わ

せながら配置して、藤文様刺繡、着物一着分の写真データを作成していくのです。これはけっこう、気の遠くなるような作業でした。

今度はそれを、絹の反物にプリントアウトします。デジタル処理で作成した刺繡の写真データをただ絹織物にプリントしただけ。でも思いのほかリアルで、ぱっと見、

一見整っているようで、糸と糸の間が開いているのに注目

本当に刺繍したかのような雰囲気がありました。プリントアウトをお願いした着物の染物屋さんは（なんと、現代では着物もほとんどがデジタルプリントなんだそうです！）、

「刺繍の写真をプリントアウトしたのは初めてなんですが、予想よりもリアルで面白いですね〜。これ『染め刺繍』なんて名づけたら、売れますよ」

と驚いていました。

次に、できあがった反物を刺繍業者にお渡しして、刺繍のプリントの上から実際に刺繍を施していただきました。

反物にプリントされた刺繍をよーく見て、ひと針ひと針をトレースして仕上げていきます。つまり、現代の刺繍の感覚ではなく、桃山時代の針跡をたどっていくのです。さながら、桃山時代の刺繍職人から当時の手法を習っているかのようなものです。

「ちがうちがう、もっとこう。で、こっちで刺した糸はこっちから出る！　そう！」

なんて声が聞こえたかもしれません。

この時代の刺繍方法は「桃山刺繍」と呼ばれています。125ページの図を見ていただくと分かると思うのですが、現代の刺繍に比べて裏面がスカスカなのが特徴です。

桃山刺繍が施された反物は、最後に仕立て職人の手を経て、完成しました。どうですか、いかにも手間暇がかかって豪華絢爛、という印象ではないでしょうか。人件費もいくらかか

ったか分かりません。このプロジェクトの場合、デジタル画像処理という現代のアプローチが一部加わっておりますが、反物自体を製作した業者を含め、いく人の職人の手を経て完成したのでしょう。

高みを極める貴婦人たちの、野心を包むにふさわしい着物の数々。ゴージャスとはこういうことを言うのでしょう。

いやはや、気難しい貴婦人たちを納得させるレベルを、それぞれ三着ずつとは……。

完成した藤文様刺繍小袖。デジタルで基本構成し、アナログ的に仕上げる。双方の相性が意外といいことが分かりました

え、だけど、もしかして

「桃山刺繡」に関して、ひとつ伝説というか、通説というか、こんな話があります。それは、

【桃山刺繡はおおらか】

というものです。私は、京都の刺繡工房の社長からお聞きしました。刺繡がおおらか、とはどういう意味なのか、さっぱり分かりませんが、何か今では伝わっていない、「失われた秘技」があるのだろう、という感じに私は思っていました。

それが、今回の復元プロジェクトで、ちょっと分かることがありました。

完成しました〜、という連絡を受けて、京都の工房へうかがうと、

「いや〜、今回は本当に勉強になりました。桃山刺繡をトレースする機会なんてありませんから」

とおっしゃったのは、刺繡の通説を聞かせてくれた社長。感謝の気持ちの裏に〝大変だったアピール〟をする社長に、京都の職人さんらしいところを感じつつ、気になったのは次の発言です。

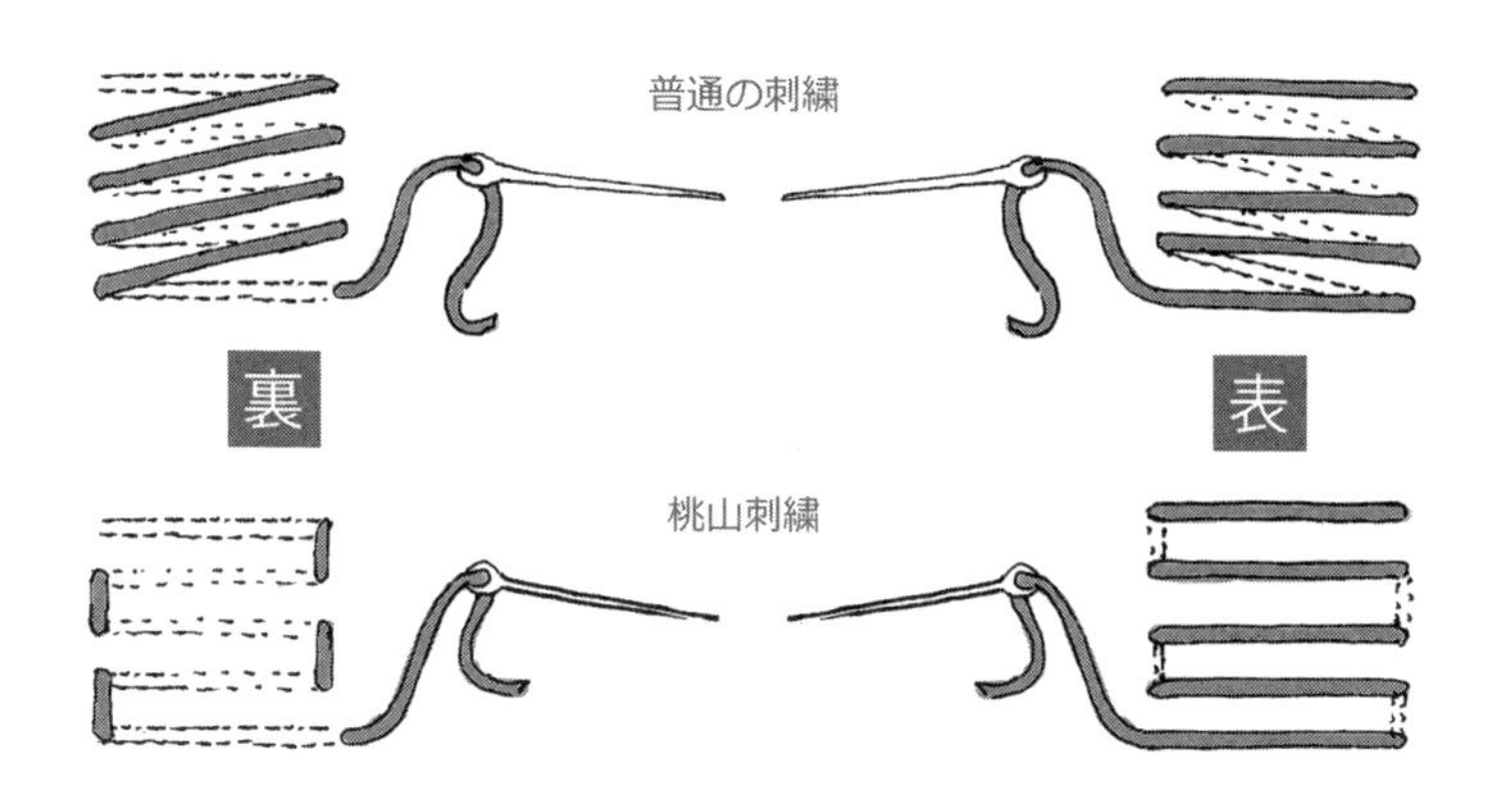

イメージとしては、現代はグルグル、桃山はジグザグ。桃山方式だと糸も半分で済むので、経費削減にもなるという説もあります

「私たちは、どうしてもきっちりと、細かくやってしまうのですが……」

きっちりと、細かく。そう言いながら、社長が見せてくれた刺繍見本は、見事なまでのピッチと正確なストローク、ち密さが際立っています。糸と糸とのすき間はなく、方向も一定で、実に整っています。

「それに比べると桃山刺繍は、ホントおおらかですな〜」

確かに、現代の見本に比べると、糸と糸の間が空いています。ざっくりざっくり縫っているイメージで、糸の方向も少しずつずれていて、確かに「おおらか」。でも私の頭の中にはもうひとつの言葉が浮かびました。

【桃山刺繍はおおざっぱ】

そうなのです、私にとってはそっちの方が、しっくりときました。何か突っ込みどころのあるルーズさが、かえって魅力的に見えてきました。ざっくりざっくりと太い糸で大胆に模様を縫っていきます。まるで、桃山時代の空気をその糸にまとわせながら。

となると、疑問がわいてきます。

こんな「おおざっぱな」仕事をしている着物を、貴婦人たちはOKしたのでしょうか。本章の冒頭で紹介したエピソードからも分かる通り、「私よ、私！」と自己顕示欲の塊（かたまり）のような姫君たちです。それに、淀殿由来の目を奪う見事な着物や、凝った衣装を身にまとった淀殿の肖像画を見ると、彼女のファッションへのこだわりも相当なもの。「おおざっぱ」な仕事をとても許してくれそうにありません。

でもその一方で、「おおざっぱ」だからこそ、〝一人三着×数百人〟のあまりにもの大量注文に、そして総額37億円の大プロジェクトに応えられた、という可能性もあります。一着にかかわる人員は10人以上、流れ作業で進められ、見た目は大切にしながらも、効率大優先の突貫工事で困難を乗り切った可能性もあります。

さて、一体どちらでしょう。

「おおらかな表現として、それはアリだった？」

「おおざっぱな表現として、それはナシだった？」

そういえば、絵画も、漆芸も……

ここで参考のために、国宝「檜図屏風」を紹介しましょう。この作品は、狩野永徳によるもので、現在は東京国立博物館に所蔵されています。屏風として伝わっていますが、もともとは京都にあった八条宮家の屋敷を飾っていた襖絵でした。

八条宮は、正親町天皇の孫で、後に豊臣秀吉の猶子（養子のようなもの）となります。この屋敷は、豊臣秀吉が義理の息子のために、建設させたものでした。つまり、「醍醐の花見」とそう離れていない、豊臣秀吉の桃山時代の作品となります。

絵をよく見ていくと、大胆な筆さばきが目立ちます。これは、切った竹の棒の先を何度もたたいて繊維状にして筆を作り、その筆に墨をつけて、早いストロークで、シュッ、シュッ、シュッと、まるで庭をほうきで払うように筆を走らせる描き方です。

思いっきり筆を振ることで生まれる、荒々しい表現。檜図は勢いよく画面の中でうねるかのように、息づいています。この豪快な表現、特に狩野永徳のこの手の表現を〝豪放磊落（スケールが大きく豪快で小さいことは気にしない様子）〟と表現することが多いのですが、まさしくそういうイメージです。
貴族がいかにも好きそうな、やまと絵的な優雅な表現とは対照的に、狩野永徳のこの〝豪放磊落スタイル〟は、武将たちの趣向にジャストフィットして、大いに受けました。この手の表現を様々な武将たち、あるいは寺などから依頼され、また、矢継ぎ早に城や屋敷を建て続けている豊臣秀吉からの注文も相まって、狩野派の工房もそれはそれは多忙を極めておりました。
なので私は、「狩野派はゼネコン」と表現しています。ひとつひとつの作品に、心血をそそぐアーティストっぽいことはしていられません。ゼネコン（総合建設業者）のように大規模な案件を一括で受注し、一貫して行うことでコストカットやスピーディな進行を実現していたと推測しています。きっと、工房はこんなことになっていたでしょう。

「棟梁、東福寺様の控えの間の下絵、まだですか？　もう、ずいぶん待っているんですが……」

棟梁の永徳ともなると、直接絵筆を振るう前に、全体の構想と下絵をしたため、各部屋担当のリーダーに渡しながらディレクションしていました。何よりも効率を考え、大きなプロジェクトを完成させる、だからゼネコンなのです。

幹では縦に枝では横に、勢いよく走る竹筆の跡

もともとは襖だったのですが、ジグザグに折りたたむと省スペース、ということで、美術館都合で屏風になっています

「あ～つべこべ言わずに、聚楽第(じゅらくだい)の松の間を、ちゃっちゃとやっちまえ！　東福寺様のはその後だ！」
「でも東福寺様は、いつも後回しにされて、さすがにしびれをきらして」
「では、同じ構図だから、葉の部分は後にして、東福寺の檜の間もやっちまいな！　太閤(たいこう)(秀吉)様の注文には遅れは許されない、お前、首が飛ぶぞ！」

……というくらいの忙しさ（例のごとく、雰囲気重視でかなり脚色して書いています）。でも、「大坂城の飛び込みの仕事が入りまして、ご返事もできない忙しさ」と訴える手紙が残されています。※

としたときに、この豪放磊落の表現は非常に都合がよかった、と言えるでしょう。紹介した通り、竹の筆を、早いストロークで、シュッ、シュッ、シュッ、とするだけで、見る見るうちに作品ができてくる！　つまり大量生産が可能になるのです。しかも、勢いがつけばつくほど、クライアント好みの仕上がりになる！

裏を返せば、この秘策があったからこそ、無理難題を乗り越えることができた狩野派は、以後400年もの繁栄をとげた、と言えるかもしれません。

「桃山刺繍はおおざっぱ」と「竹の筆で、シュッ、シュッ、シュッ」は、それぞれ大量発注に応じて、偶然にも職人たちが編み出した秘策でした。でも、実は、漆芸の職人たちも、同じような困難に一所懸命対応していました。つまりは、わけへだてなくあらゆる業種の職人たちが、そんな時代をえっちらおっちら乗り越えてきた、ということなのでしょう。

ここで「高台寺蒔絵」の話をしましょう。

漆の器などに、模様が施されているのを見たことがあると思いますが、それらの実に細やかで、とっても魅力的な模様は、漆芸の「蒔絵」というテクニックを使って表現されています。

「蒔絵」は、文字通り金粉や銀粉を「まく」テクニックです。黒漆を塗って乾いてピカピカになった表面に、漆を糊として模様や景色を描き、乾く前に金粉銀粉を「まき」ます。そうすると、粉は漆で描いた部分にのみ糊の効果でくっつきます。糊が乾いた後に、余分な粉を払うと、模様や景色が金銀になって出現するのです。その金銀の模様部分に保護とつや出しのための漆を塗り、磨いて仕上げます。これが「平蒔絵」という、蒔絵の基本です。

さらに、模様部分を盛り上げてから金粉銀粉を蒔く「高蒔絵」、平蒔絵の上に黒漆を塗り乾燥させた後、磨ぎ出して模様を表出させる「研出蒔絵」、高蒔絵と研出蒔絵を合わせた「肉合研出蒔絵」という、その上をゆく凝った技術があります。漆芸の文様表現って、一見

※寿謙宛書状 石水博物館

すると、絵筆で丁寧に描いて終わり、にも見えますが、実はこんなにも手のかかる技術なのです。

　この技術を、日常の器、まあ大きくても棚ぐらいに用いるのなら、まだなんとかなりそうです。でも、大きな厨子（ずし）や階段の全面に大きい絵柄でやってくれ、と言われたらどうでしょう。いわば「漆芸版、大型発注」です。

　実はこの大型発注も豊臣秀吉関連です。京都の東山にある「高台寺」（ここは北政所が秀吉を弔（とむら）うために建立しました）の厨子や階段には、秀吉の注文通り、黒漆の全面に草花が大きく描かれ、シルエットが美しく浮かび上がっています。……ということは、漆芸の職人さんたちも、刺繍職人や狩野派の絵師たち同様、見事にこの大型受注の難題を乗り越えたことになります。では一体どうやって乗り越えたのでしょう。

　結論から言いますと、基本テクニックの「平蒔絵」のみ使って完成させたのです。
天下人の御霊（みたま）を弔う大きな御厨子です、本来ならば最高の技巧を凝らして、例えば「肉合研出蒔絵」をふんだんに使って、飾り立てるところです。でもここでは、基本の「平蒔絵」だけを使って、後世に名を遺す作品を作り上げたのです。

　その背景には、職人たちの工夫と技術の進歩があります。当時の最先端の技術により、平蒔絵で使う金粉、銀粉の粒子は格段にきめ細かになりました。これにより、金の筆を走らせ

これだけ大きくなると、たくさんの人数による分担作業でないと間に合いません。工房の活気のある光景が目に浮かびます

たように、しっとりとした仕上がりが可能になり、突貫工事でも素晴らしい蒔絵を完成させることができるようになったのです。

追い込まれた時の底力と申しましょうか、危機を好機に転ずるこれら企業努力と技術開発力は、現代の日本企業も見習いたいところです。

～これが、秀吉時代の空気なんだな～

それにしてもさすがの豊臣秀吉、各方面への大量発注、大型発注には、本当にびっくりです。でも考えてみれば、「一夜城」なんて城を多くの人間を動かして建てさせている事例もあるわけですから、かねて前からもそんな雰囲気だったのでしょう。というか、沁みついた性格と言えるかもしれません。同時に多くの人間を効率よく動かす才能が特に光っていた、とも推測できます。

多くの人を動かすためには、厳しくするばかりでは実現できません。まして、恐怖だけで人を動かそうとすると、怨恨が生まれたり裏切りが生じたりして続きません。そこをあきらめさせずに最後まで続けてもらうには、「ほめる」ことが必要だった、そこまでいかないにしろある程度の「まいっか」の精神は必要だったことでしょう。

そうした観点に立って、「淀殿の小袖」「永徳の檜図」「高台寺蒔絵」を見てみると、突貫工事で仕上げられ、時間的な制約で究極技巧が駆使されない納品物に対し、見栄えと納期を最優先して「合格点」を出す、いわば「おたがいさま」的関係性を見出すことができるのです。

　職人たちは、納品時、びくびくしていたに違いありません。

「このたびは、どうにかすべてお納めいたしました……」

　受領役は、への字の口を小さく開き、

「ご苦労であった。そちらは、何人で作業にあたった？」

「あ……はい……三十名ほどで、昼夜問わず……」

「そうであったか、道理で、場所によって出来不出来に差があったが」

　その言葉に職人の棟梁は、肝を冷やします。

「あ、あ……もう少し時間をいただければなんとかなりまして……。す、すぐにその部分を私が直して……」

　と、汗だくになりながら、頭を床にこすりつける棟梁でしたが、

「よい、もうよい」

「へ？」

「よいのだ、これで。これだけの成果を、今、ほしかったのだ、十分である！」

……なんてことがあったことが想像できます。

でも気になることがあります。

秀吉は、そういう「おたがいさま」精神を持っていたかもしれません。でも、皆が皆、「おたがいさま」精神を持っていたのでしょうか。特に、淀殿をはじめとした貴婦人たちは、どうだったのでしょう。なにせ、あの自己顕示欲ですから。

私は、「あった」とまで言いませんが、「なくはなかった」と思っています。つまり、血のにじむような努力が見られるのであれば、認めてあげようというくらいの猶予の気持ちは、少なくともあったと。

認めてあげようと思わせる努力の跡。ただ手抜きをしているわけではない様子が、どの分野のどの作品からもにじみ出ているのです。

「結果的に」という枕がついてしまうかもしれませんが、どの分野でも、「おおらかさ」「豪放磊落」「きめ細かさ」という、桃山時代になって初めて実現できたプラスアルファがあることに、注目したいところです。それをなんとなくでも、貴婦人たちも感じ取って、「おたがいさま」と思えたのではないでしょうか。でなければ、消却されずに現代まで伝えられることなどなかったわけですから。

現代の企業が生産効率や経費削減で、商品の質を落とす、量を減らす、などマイナスアルファに陥ってしまっている現状を見るにつけ、桃山時代の職人たちの血のにじむような努力や、気概というものと、つい比較してしまいます。

美術品たちにそんな力が宿っているのを、私が皆様に強く訴える意味が、だんだんとお分かりになってきましたでしょうか。美術品たちは昔は手にする「道具」、今は生きるヒントを与えてくれる「教材」なのです。もうちょっと言葉を足すならば、日本美術を教材にすれば、昔の人の心の中まで見通すこともできるのです。

美術品を通して、いにしえの人々と心を通わせる体験、これぞまさに、タイムトラベル！

またここで言わせてください、

【日本美術をただ眺めているなんて、もったいない！】

コラム③

大人は〝見立て〟てタイムトラベル

感性を自由にはばたかせるのを久しくしていない大人たち。「絵を描くなんて恥ずかしい」と思って、心のドアをしっかりと閉めて、さらに鍵までかけている人も多いのではないでしょうか。

思い出してみてください、服が汚れるのも気にせずに、クレヨンを縦横無尽に動かしていた幼いころ。好きなものを好きな色で、熱中してただただ描いていた、感性が解放された時間を……。

実際、子供たちに「国宝をべたべた触ろう!」という「賞道」を体験してもらうと、こちらが説明しなくても積極的に絵の中にとびこみ、自由に遊び始めます(壊されては困るので、最低限度のルールは守ってもらいますが)。……ということは、前のコラムでお話ししました。

私の解説は、やはり大人の目線なので、子供たちにとってはかえって理屈っぽいところもあるかもしれません。一方「賞道」に参加してくださる方々は、対照的によく私のお話に耳を傾けてくださいます。日本美術に、ましてや国宝のレプリカに対して、どのように接したらいいか見当もつかないので、まずは私のいわば〝取説(とりせつ)〟をしっかりと頭にいれて、失敗をしないように緊張して聞くのです。

なので、私は、今日取り上げる作品の形態（絵巻物、屏風、掛け軸など）の変遷や、作品の制作された時代背景などをざっくりと説明しますが、鑑賞方法はきめ細かく説明しません。ちょっとだけ、皆様をつきはなします。まずは、知識を身につける場ではなく、自分の眠っている感性を目覚めさせる場であることに、気づいていただくためです。

では、実際「賞道」では、どのように鑑賞を体験してもらうのでしょう。

大人には多少の理屈が必要で、へ理屈でもいいので、一度自分の力で考えて、意見を披露する。ということから始まります。はじめは、自分の知識から絞り出した理屈でもOKです。言われたことに従うのではなく、自分の偏見からでもいいので、意見を口にすることが大切です。

　でも、実際に意見を口にすることすら恥ずかしがって遠慮する方も多くいらっしゃいます。その場合は、考えるだけでもいいのです。要は感性をひらくきっかけを作ることが大切なのです。

　ここで出てくるのが「見立て」です。大人は、「見立て」を便利に活用すれば、感性をひらくことができます。自分のいる生活環境や、自分の持っている得意分野を無理やり結び付けて、面白いストーリーを考え出すことができれば成功です。それが慣れてくると、だんだんと自分のおかれた環境とか知識とかは関係なく、作品と対話できるようになります。

　それでもはじめはうまくいかないので、ゆっくりとガイドします。私ならこう鑑賞して楽しんでいます、というヒントを出して、作品にどのように接するのか、どこまで「精神的にべたべた触っていいのか」の、見本を提示します。

　例えば、登場した「花下遊楽図屛風」。この屛風は六曲一双、つまりは6枚のパネルをジグザグにつなぎ合わせた屛風がペアである、二つある、という形態をしています。美術館だと、これを横に並べるのですが、自由に立てまわせるのが「触れる国宝」のいいところですから、あえて、角度の開いた八の字のように配置します。

右の屏風には、大きな桜の木の下で音楽の宴を楽しむ貴婦人の一団が〝大きく〟描かれ、左の屏風には、八角堂のもとで踊りの宴に興じる貴公子の一団が、右の屏風よりも〝小さく〟描かれています。この人物の大きさから、右の屏風は「近景」、左の屏風は「遠景」を描いていることが分かります。

そこで、私は、右の屏風の貴婦人の前に正座して、眺めるのがベストポジションだと思う、とみなさんに案内します。そこから見上げると、桜の花が頭上に迫っているように感じられ、また、左手を眺めるとやや小さく描かれた踊る人々が、より遠く感じられ、この宴が広大な敷地で行われている体感ができるのです。

ここで私はひとつ大切なことを伝えます。

「これは正解ではなく、あくまでもひとつの見方であり、〝見立て〟のひとつにすぎない」と説明します。つまり、あなたが私と違う意見をもったとしても、いや、ちがう見立てをしたとしても、見立てに正解、不正解はない、という、実にふわっとした感覚が必要なのを繰り返しお話しします。

私は、正解を述べているのではなく、ここまで精神的にべたべた触ってくださいね、という一例を提示しているに過ぎないのです。

ここで迷う方も多くいらっしゃいます。現代人は明快な正解をほしがるからです。小林が言った見方が正解なのだ、とどうか言ってください、その方が楽で安心できますから、という方が実に多い。でも「賞道」は、一問題一解答の世界から脱却しましょう、ということでもあるので、そこだけは妥協できません。

後日談ですが、この「花下遊楽図」の鑑賞で、何度も参加したある方が、「（近景の）貴婦人の方からではなく、（遠景の）貴公子の方から貴婦人たちを見ると、人物の大きさがそろって、宴会の親密度が増しますよ」と言われたことがあります。これには参りました。宴会は、楽しくにぎにぎしくやるのが一番、断然貴公子の方から見た方が、楽しい気分になったのでした。

だから、私は単に、自由に「見立て」をする場を提供しているに過ぎないのです。

絵がうまくなくても芸術家になれる。私はそう考えています。「見立て」が上手な人は、もう芸術家です。日本人は古来、「見立て」というものを使って、その豊かな感性を開花させ、競争し、共有しました。とくに和歌の世界では芸術の域まで達し、和歌までに至っていない私もまだまだ修行の身です。
ただこの「見立て」は、和歌をたしなまなくても、常日頃からできるので、「賞道」は本当に〝道〟なんだなぁ、と思います。
古今和歌集にこんな歌があります。

白雪の　ところもわかず　ふりしけば　いはほにもさく　花とこそ見れ
(白雪が所かまわず降りしきるので、岩の上にも咲いた花のように見える)

もちろん、岩の上に降った雪を花に見立てているわけですが、これが単に「花のように見える雪」という比喩でとどまっていたら、それは「見立て」ではありません。東京大学名誉教授の渡辺泰明先生は「見立ては、認識というよりは讃嘆(さんたん)の表現形式」とおっしゃっています。まさに、この歌には「讃嘆」の意味が込められているのです。となれば、花びらのように舞い降りた雪は、花のように美しい上に、花よりも儚いなぁ、というような「讃嘆」の意が込められていると「見立て」るのです。

さらに、日本人は、風に舞う花びらや雪に、気持ちをのせ、想いを遠くへ飛ばすことを常としていました。月の光も〝光の粒〟ととらえ、月を合わせて「雪月花」という言葉に託している、とそれこそ私は「見立て」ています。そこまで想いを馳せるならば、岩に留まった小さな雪の粒ひとつひとつを魂と見立て、それらが儚く消えていく「讃嘆」も味わえることになります。

平安時代に「見立て」の文化が花開いた、ということですから、ほとんど奈良時代に中心だった大陸文化から次第に国風文化に発展する中で、はじめからこの「見立て」という文化が、日本人の中から生まれてきたと言っていいでしょう。それほど、この「見立て文化」は、日本人の根本にあるのです。

この「見立て」る目を持つと、日常が変わります。物事をひとつの方向から見ていなかったことが、ちょっとだけ別の角度から見る、あるいは俯瞰して見るような感じになります。

「見立て」をする、ということは、ものの見方はひとつではない、ということを認めつつ、よりよい高みにいく、ということですから、謙虚な気持ちで人の意見に耳を傾ける姿勢につながります。そして、時に自分の意見を捨てて、人を賞賛することにもなります。今世界を支配する、自分の主張をごり押しする風潮とは、真っ向から対立する生き方、と言えるかもしれません。

今、私は京都に住んでいます。嵯峨嵐山には、歴史に登場する場所がたくさんあり、小倉(おぐら)山(やま)、渡月橋、天竜寺などなど……。それらを見立てるには、もっともっと永く住んで、平安の人々の心情にもっと触れないと分からなそうですが、ただ嵐山には桂川が流れており、平安のときより今も変わらず流れているその川には、名曲「川の流れのように」ではないですが、「人の命の流れ」を見立ててしまいます。何か過去から流れてくる人の命が色々な歴史の紆余曲折があって、今私の立っている渡月橋の下を流れている……。

それは、まさに、デジタル復元で過去の美術品を覆う汚れを取り除き、色をきれいに復元する際に聞こえてくる、いにしえの絵師たちの囁(ささや)き声にも似ています。

長かったコロナウィルスの騒動もやっと落ち着き、現在、嵯峨嵐山にも観光客が戻ってきています。そのため、数か月前まで渡月橋で人の命の継承について感慨にふけった雰囲気は味わえなくなっています。でも今度は、あんなにひっそりとしていた街が、今は通行がままならないほどにごった返しているのを見て、平安時代にあった疫病への恐怖の深さとそこからの解放の喜びを「見立て」、その恐れと喜びがあの「祇園祭」につながっていると「見立て」、さらに紹介した「祇園御霊会」の絵巻物を手にして、讃嘆の念を深めるのです。

ポーンと高く投げられた鼓を、「あ、またボールの目線だ」と「見立て」ながら……。

第4章

やっぱり怖い？
超有名なお墓のお話

日本美術の本当の鑑賞とはなんだろう?
最後は飛鳥時代の
高松塚古墳壁画のレプリカです
お墓の国宝!!

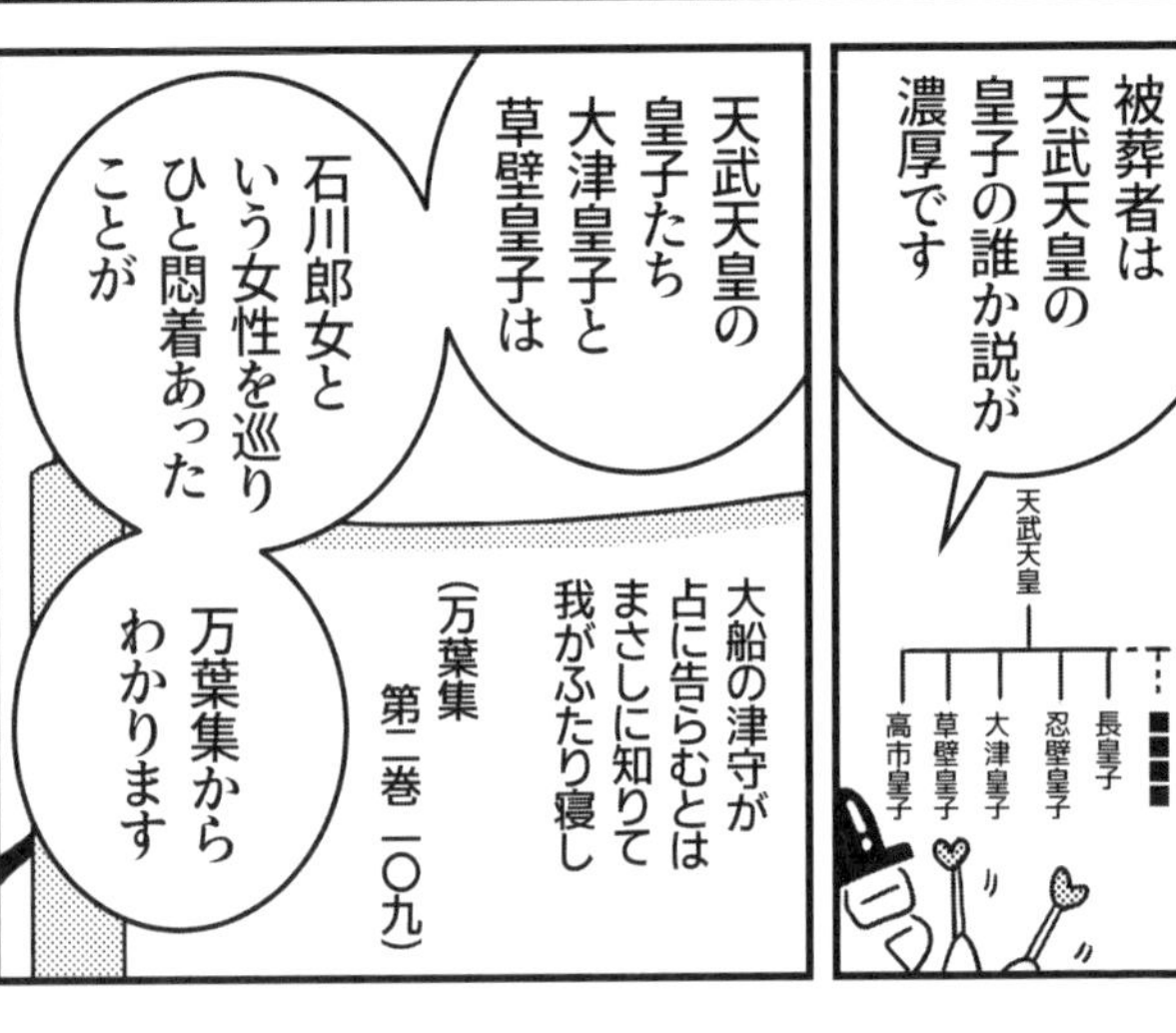
被葬者は天武天皇の皇子の誰か説が濃厚です
天武天皇
長皇子
忍壁皇子
大津皇子
草壁皇子
高市皇子
天武天皇の皇子たち大津皇子と草壁皇子は
石川郎女という女性を巡りひと悶着あったことが
万葉集からわかります
大船の津守が占に告らむとはまさしに知りて我がふたり寝し
(万葉集 第二巻 一〇九)

注目すべきは

壁画にある飛鳥美人のひとり
赤い着物を着ている女性当時の赤は最も高貴な色
たぶん被葬者の妻か愛人でしょう
しゃらん

万葉集は今のワイドショーや週刊誌のようなもので
万葉集がゴシップ!?
世間はゴシップで賑わっていたと想像できます

古墳の中へどうぞ
ピクニックへ行くような明るい感じで
古墳の中は薄暗い
だけど

この暗さが
妙に
居地良い

壁には
賑やかな
絵がある
被葬者が
黄泉の国へ
楽しく旅立て
るように
古墳を作った
人には
そんな想いが
あるのかも
しれない
西壁

東壁

日本最古の
飛鳥美人
この女性は
被葬者を
見ている

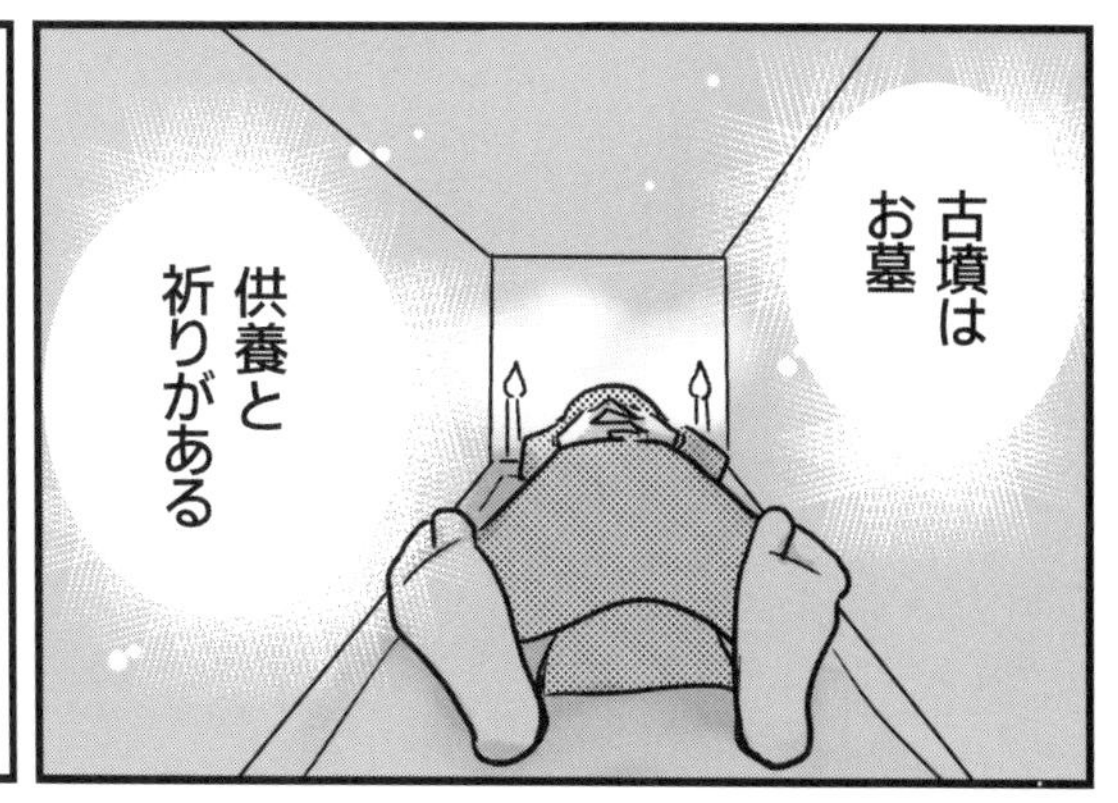

そして
人間関係も
垣間見える

秋山の黄葉あはれとうらぶれて入りにし妹は待てど来まさず
(万葉集 第七巻 一四〇九)
秋の山の紅葉に心とられて這入って行った愛しい人は自分が寂しく待っていても亡くなっているから帰って来て下さらない
知りたい
作品にいる人たちのことを知りたい
新月さん楽しんでいただけましたか?
はい
全体を通して
いにしえの人の話をする時小林さんの声に熱がおびる
あの
小林さんはいにしえの人と
会話をしてきたんじゃないですか?
私は

筆の迷いもわかる

小林さんは

いにしえの絵師を友人を語るように話すんだ

知りたい
作品を創った
人たちのことを
知りたい
もっと
日本美術と
話したい！
それから
私は
立美術館

再び美術館へ
行くようになった

居心地いいぞ 飛鳥のカプセルホテル

日本美術の知られざる本当の姿、楽しんでいただいていますか？

第1章の風神雷神図屏風では、視点をずらしたり、部屋を暗くしたりして、本当の姿をあぶり出すことをしてみました。いわばタイムトラベルの予行演習のようなものでした。そして、第2章の絵巻物で、当時の「無常観」を目の当たりにし、当時の「人々の心情」に触れ、第3章の藤文様小袖では、人々を取り巻く「時代の空気」にどっぷりとつかってみました。ここまでくると、「あ、確かにタイムトラベルだ！」というような、美術品を通して時空を超える醍醐味というものを、かなりご理解いただけたかと思います。

美術館では国宝という勲章をつけてあれほどまでに澄ました顔をしているのに、実はとってもおしゃべりで、気さくなヤツらなのです。

そこで最後は、「人々の心情」と「時代の空気」を両方満喫することで、通常ならば心通わすなど難しいと思われるほど、古い時代に飛び込んでみましょう。

ずばり、飛鳥時代です。

はるか遠い過去へトリップするきっかけを作ってくれたのが、実は作家・クリエーターのいとうせいこうさんでした。せいこうさんがパーソナリティーを務める番組で、私が美術品を復元して解説をする機会がありました。その収録の休憩時間になんとなく、

「今度また番組があったら、何を体験してみたいですか？」

とせいこうさんに質問してみると、

「高松塚古墳なんか、横たわってみたいね～」

と、照れくさそうにおっしゃったのです。

なるほど、さすが！　と思いました。それまで私の守備範囲は絵巻物や屛風などが中心、それも平安時代以降がほとんどでしたので、私にとって高松塚古墳はあまりにも意外でした。でも、考えてみれば実現可能でした。それまでは平面の復元しかしていなかったので（今は多少3DCGも扱っています）、「お墓？　立体？」と心配していたのですが、お墓は立体だとしても、古墳壁画そのものは平面です。これなら挑戦できそうです。

高松塚古墳とは、奈良県明日香村にある、飛鳥時代の円墳です。中には棺（ひつぎ）が納められた、内寸の高さ113㎝、幅103㎝、奥行265㎝の石室があり、各壁に女子群像、男子群像、四神、星宿図（せいしゅくず）（星座の図）などが極彩色に描かれており、1972年に発見されて間もなく一大ブームになるほどの反響がありました。特に女子群像は〝飛鳥美人〟と賞賛されまし

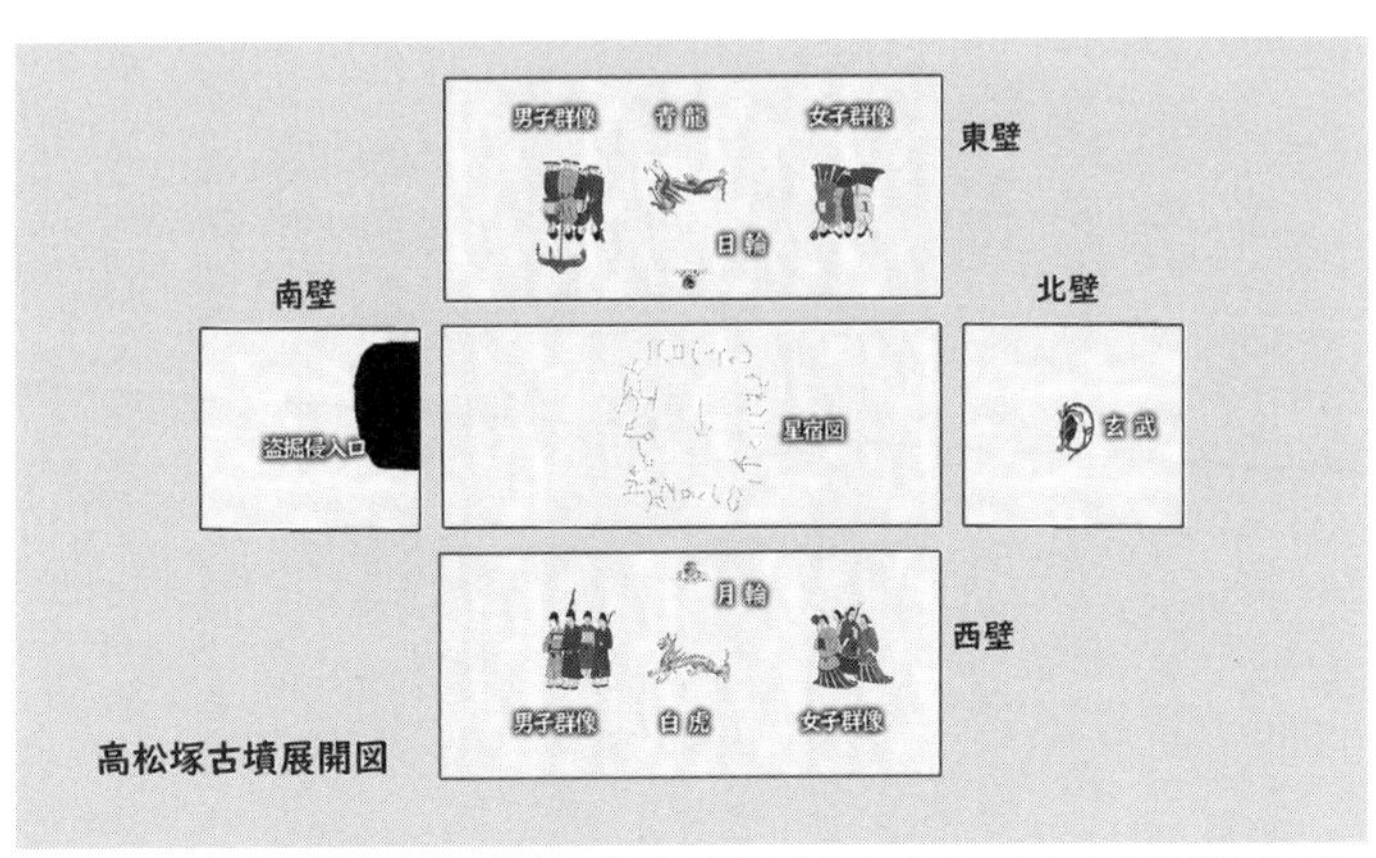

南壁の黒い部分は鎌倉時代に盗掘のために開けられた穴で、もともとは描かれていた「朱雀」が失われてしまいました

た。その石室体験の機会は、意外にも早く訪れました。お陰様で、その番組は好評で、第2弾がすぐ制作されることが決まったのです。さっそく、私は高松塚古墳壁画の復元を提案し、すぐさまOKになったのでした。

私がこの復元の成功を確信したのは、石室内の壁には、漆喰が塗られていたことが分かったからです。漆喰は、今でも壁に使用される材料なので、塗れば真っ白になることは容易に分かります。すっかり泥で汚れてしまい、何が描かれているか分からない壁を、まずはきれいな真っ白にして背景を整えます。

となると、ビフォーアフターが劇的に変化することになる、きっと驚くことになる！

とわくわくしながらパソコンでデジタル復元の作業を進めていくと、見る見るうちにパソコンの画面に、色が花開いていきます。〝飛鳥美人〟で知られている女子たちだけでなく男子たちも、それぞれ鮮やかな色の衣装に身を包み、木火土金水と言う「五行」の色世界に則った四神の聖獣たち（青龍、白虎、朱雀、玄武）、金箔を丸く切り貼りした星を赤い線で結んで表現した中国の星座（星宿図）が、次々と画面に展開され、それらは白い背景にくっきりと浮かび上がりました。

復元はこれで終わりません。むしろここからです。

西壁と東壁（それぞれ横113×縦265㎝）、北壁（縦113×横103㎝）、天上（縦103×横265㎝）、これらをほぼ原寸大にプリントアウトし、ボードに貼り付け、組み合わせて石室のレプリカを作成します。

その中に、埋葬者のように入って、身を横たえてみます。一体何が見えてくるのでしょう……。

収録の際は、人がスムーズに出入りできるように、石室奥まで簡易的なレールが2本敷かれ、そこにキャスターつきの寝台が設置されました。

さあ、いよいよ本番です。いとうせいこうさんは、もちろんご提案してくださったご本人ですから、非常に楽しみにされていました。

「（あの世に）いってらっしゃ～い！」

と言って、スタッフが寝台を石室の奥へ押し入れます。

〝お～!!〟

との感嘆の声が中から響いてきます。

〝頭には飛鳥美人、天井には星宿図。それしか目に入らない！〟

〝意外と、落ち着いた空間、いつまでもいられる〟

気に入っていただけたようで、ほっと安心しました。

「(この世に) お帰りなさ～い」

と言って、寝台を引き出すと、

「これは、一家に一台だね～」

と言いながら、満面の笑みで出ていらっしゃいました。

せいこうさんの反応に期待が高まる中、私が石室に入る番がやってきました。寝台が奥に進むと、眼前を星宿図が通り過ぎて、それを追いかけるように目線がちょっと下に向きます。そのタイミングで寝台が止まりました。そこから横に目線を向けると、左右の壁に4人ずつの飛鳥美人たち。ホント、基本それしか目に入りません。四神の聖獣たちと男子たちは、横たわる私から見ると腰よりも下に位置するため、そうとう顔を起こさないと見えません。

死を悼(いた)むというような暗い雰囲気はほとんどなく、きっと真っ白な背景が効いているのでしょう。せいこうさんが「いつまでもいられる」とおっしゃった通り、非常にすっきりとして快適な空間が広がっていました。

〝これはカプセルホテルだな。飛鳥のカプセルホテルだ！〟

そんな言葉が浮かびました。本当に寝てしまいそうなくらいリラックスしました。せいこうさんや私だけでなく、石室に入ると皆、滞在時間が長くなり、収録予定時間が押したような記憶があります。

後日、改めて自宅で組み立てて中に入り、そのままぐっすり朝まで寝てしまったこともあります。高松塚古墳は、まさしく〝飛鳥のカプセルホテル〟でした。

皇子、ピクニックに参ろうぞ

さて、この〝飛鳥のカプセルホテル〟、居心地の良さはどこから来るのでしょう。ひとつは、やはり背景の白さ、それにより、狭い空間なのに圧迫感がないことではないでしょうか。女子群像、四神、男子群像などが、余裕を持って配置されて、その〝間〟というものが、実に快適さをもたらしているのです。

もうひとつは、描かれている内容に、死を悼むような暗いイメージがないこと。古代中国の墳墓壁画には、埋葬されている高貴な権力者を多くの人が見送る絵が描かれ、悲しそうな表情の涙にくれる人たちが描かれている例もあるのですが、そのような悲しい要素は、なぜかいっさいありません。

石室内の雰囲気が決して死の暗い影に支配されていないことを裏付けるかのように、ある大学教授が「この絵は、ピクニックに行く人々を描いている」という説[※1]を唱えています。男子、女子が手に持つ色々なアイテムは、ピクニックに必要な道具であり、人々全員が埋葬者の足元の方に向いて歩き出そうとしているのは、埋葬者の御霊を連れ出してピクニックへ行きましょう、ということなのです。

いや〜、悲しい気持ちどころか、行楽前のわくわく感とは。万葉の人々のおおらかさにはびっくりです。

では、お連れしようとした御霊は、誰なのでしょう。それを知るために重要なものが、ピクニックアイテムの中にあります。

それはパラソルです。今のような六角形、八角形のものではなく、正方形の傘で、四隅に刺繍、その先には赤い房がつけられた、いかにも身分のある者に掲げられるような豪華なものです。傘の色が身分の高い人が使う緑色であることから、埋葬者は天皇の息子であると推測されています。[※2] そうです、皇子の御霊をお慰めするためのピクニックだったのです。

「皇子、皇子。寝ている場合ではございませぬ」

と、飛鳥美人の一人が呼び起こし、

「皇子！　ピクニックに参ろうぞ！」

と男子は、すでに準備を整えて、皇子の出立を待っています。

面白いのは、まるで飼いならされたペットのように、四神の聖獣である青龍、白虎が一行に加わっている点です。人間たちと同じ方向に向かい、御霊の出立をおとなしく待っているようで、ほほえましくさえ見えてしまいます。

※1　来村多加史先生（阪南大学教授）ＷＯＷＯＷ「体感型復元ミステリー 美術のゲノム 二の巻」

※2　皇太子、親王に次ぐ一位以上が使うことができる。「大宝律令」

埋葬者である皇子が天武天皇の息子である、ということは一般に認められているようです。候補としては、忍壁（おさかべの）皇子、高市（たけちの）皇子、弓削（ゆげの）皇子ですが、弓削皇子は遺骨から推定される年齢と亡くなった年代が合わず、高市皇子は高松塚古墳より先に作られたとされるキトラ古墳の主とされることから、残る忍壁皇子だったとする説が有力で、実際そのような指摘は多く見られます。でも、ここは、天武天皇の息子であったかもしれない、というイメージだけ頭に入れておいていただければ十分です。

“飛鳥美人”。当時、奇跡の大発見としてブームになり、すぐさま記念切手が発行されました

後ろを見る男子、実は飛鳥美人より美男子、との評判もあります。なぜここに美男子……

天皇の息子が、ピクニックで何をして遊んだのか。そのヒントも実は描かれています。西壁の男子群像の中に、まるで老人の持つ杖のようなものを、肩に担いでいる人がいるのですが、これは「毬杖（ぎっちょう）」、今でいうグランドホッケーのような競技に使うスティックです。

飛鳥の草原を、グランドホッケーをして遊んだのでしょうか。その歓声が青空に響いていたと考えると、壁画のイメージに対して、さらに親しみを感じてしまいます。

高松塚古墳の主が忍壁皇子とする説で、この壁画を「行楽へ向かうわくわく感」ではなく、「儀式に参加するわくわく感」だと唱えるものもあるのでご紹介しましょう。

忍壁皇子の偉大なる業績は、「大宝律令」を編纂（へんさん）するのに心血を注ぎ、完成させたことにありました。行政の根本となる律令を整えたことで、立法国家であることを高らかに宣言するために執り行われたのが、大宝元年（７０１年）の元日朝賀の儀式です。

その盛大なる儀式に参加する際は、先ほどピクニックアイテムとしてご紹介したパラソル（傘）やグランドホッケーのスティック（毬杖）などが用いられたそうです。傘の説明でも少し触れましたが、これらのアイテムには実質的な機能だけでなく、身分を示す機能もありました。

つまり、高松塚古墳の壁画に描かれた一行の描写は、忍壁皇子の業績を讃（たた）えるために、栄光の証である元日朝賀の儀式に参加するときの姿を永遠にとどめた、とも考えられるのです。「行楽へ行く」にしろ、「儀式に参加する」にしろ、どちらにしてもそこには「わくわく感」があり、死の暗い影を落としていないことには変わりはありません。そこに、私たちは万葉の死生観の一端を垣間見ることができます。

万葉人の時間感覚

言い忘れておりました。私たちが義務教育の授業でならう日本国として明記されている「○○時代」は、主に「奈良時代」以降（710年～）かと思います。でも、その直前の「飛鳥時代」も、実に有名なできごとが多く、710年で時代を分けてしまうとかえって不都合なときが多くあります。

そんなときに便利なのが、「万葉」という言葉です。「万葉の時代」「万葉の人々」と表記すれば、飛鳥時代と奈良時代の地続きの感じをざっくりと網羅できます。なので、この本ではしばしば「万葉」という言葉が登場します。

その言葉の由来となった万葉集にこんな歌があります。

「秋の田の　我が刈りばかの過ぎぬれば　雁(かり)が音(ね)聞こゆ　冬かたまけて」
（万葉集十巻　二一三三）

実った稲田の、自分の分がやっと刈り終わったとき、飛来した雁の鳴き声が空高く聞

こえた　もう冬も近いのだな

なんという歌ではないか、と思うかもしれません。でも私は驚いたのです。万葉人の時間感覚に対してです。先入観で、私は万葉の人々は時間にはルーズだと思っていたのです。

それなのにこの歌は、稲を刈り始めたのはまだ秋真っ盛りだったのに、自分の分が終わったら晩秋になっていたことでちょっと感慨にふけり、その先の冬へ思いをはせているのです。これほどまでにち密で、繊細だったのか！

「刈りばか」というのが何とも心憎いではないですか。今、足元を見ると、稲を刈り取った後の切り株が、規則正しく並んでいます。自分の担当した部分の最後の一株に立っていると、最初に刈り始めた一株は、あんなにも遠くなっている！　あそこから始まって、今ここで終わっている、その時間の経過を、切り株の羅列となって目で確かめることできます。刈り始めたまだ暑さも残る時期を思い出していると、雁の鳴き声が耳に入り我に返り（「刈り」と「雁」をかけつつ）、ふと寒さも感じられる現実に戻る感慨深さ。さらに先の冬へ思考を飛翔させている……。「刈りばか」というだけで、これだけの想像が膨らむのです。

私も相当のタイムトラベラーと思っていますが（汗）、このテクニックは呆れるほど素晴らしい。しかも、自分のノルマの稲を刈るということは、雇われ農民かもしれません。普通の庶民がこの感覚でいたとしたら、古代の日本人はタイムトラベラー民族だったに違いありません。

そんな感覚で、例えば次なんか読んでみると、「もう参りました」です。

「秋山の黄葉（もみち）あはれと　うらぶれて入（い）りにし妹（いも）は　待てど来（き）まさず」

（万葉集第七巻　一四〇九）

秋の山の紅葉に心とられて這入って行った愛しい人は、自分が寂しく待っていても（亡くなっているから）帰ってきてくださらない

亡くなった女性の死因をはっきりとは述べず、何か紅葉の美しさに呆（ほう）けて、ふらふら〜と山の奥へと姿を消していってしまった、と表現しています。まるで、死の世界が地続きで山道の奥にあるとでも言うように……。

「秋の田の　我が刈りばかの……」の歌のように、今生きている時間を自由に行き来するだけではありません。この歌では、死の世界へも自由に思いをはせ、まるで現世との境目がないかのように故人へ語り掛けている、もしかすると、万葉の人々にとって、死は、遠い旅に出ることと何ら変わりがないのかもしれません。死者への語り掛けが、現代の私たちよりも、

かなり近しいし親しい印象があります。

そういった意味で高松塚古墳の、「いっしょに出かけましょう～」という感じも同じなのかもしれません。半分冗談でいとうせいこうさんが言っていた、高松塚古墳に入るときに「いってらっしゃ～い」、戻ってきたときに「お帰りなさ～い」の感じです。

万が一、紅葉の山奥から恋人が戻ってきたとしたら、万葉の人々はびっくりするのではなく、「お帰りなさ～い」と言いながら、すぐに日常会話を始めるのかもしれません。

この親し気な死者との接し方。まるでそこには生と死という境界線はなく、かぎりなくグラデーションであることを認識していたかのようです。

万葉の人々の死生観を抱きながら、再び高松塚古墳に身を横たえてみましょう。そうすると、目に入るのは、天上の星宿図と頭のそば左右にある飛鳥美人の女子群像です。女子は左右4人ずつで合計8名。ほとんどが、一行が進む方を向いています。

私はあるとき、気がつきました。東壁の飛鳥美人が一人だけ正面を向いてこちらに視線をおろしているのです。ちょうど寝ている私が左に首を向けると目線が合うようになっています。澄ました顔で見下ろしている女性と視線を交わすと、何やら感情がゆらぎます。血脈に少しだけ熱がこもり、「ここに死んでいたのは自分で、彼女の視線で蘇生し、今体温を感じているんじゃないか」という錯覚にとらわれました。

この女性は、赤い服を着ています。当時は着物の色で階位が定められていました。有識者に意見を聞きながら調べたのですが、※この当時女性で赤い服を着た人は、最高の身分だったことが分かりました。

天皇の息子という最高位の男性と視線を交わす、高貴な女性。おのずと埋葬者の妻か恋人、そんな推測が成り立ちます。

「いつまでも、あなたのおそばにおります……」

そんなささやきが耳に入ってきたような気がして、さらに体温が上がる心地になりました。

……とまあ、ここまではロマンチックな雰囲気でよかったのです。

※猪熊兼勝先生　ＮＨＫ「歴史秘話ヒストリア　飛鳥美人　謎の暗号（コード）を解け」

スキャンダルは、昔からみんな大好き

石室内で赤い服の貴婦人と視線を交わしたお話を、「賞道」（2ページ参照）のワークショップで話したことがあります。

「どうですか、恋人から視線を受け、あなたといつまでもいっしょにいる、というメッセージを抱きながら、いっしょに永久の旅に出るのです。そんなあったかい空間でもあったのです」

とお話をしていたところ、ある男性が顔をしかめてこんな発言をしました（自由闊達に自分の「見立て」を披露するのが、賞道のいいところ）。

「死んだ後でも、監視されているようで、俺はやだな～」

場内は笑いに包まれ、それはひとつの冗談のように受け取られました。しかし、私は「なるほど！　そんな見立てがあったか！」と膝を打ちました。

とたんに、貴婦人のあの慈悲に満ちた落ち着いた視線に、冷ややかな空気が帯び始めました。

〝ば〜れ〜た〜か〜〟

と言いながら、化けの皮をはがすかのように……。

もし恋人を別の女性に取られ、嫉妬に狂ったこの貴婦人が、皇子を自分のものにしようと狭い石室に魂を閉じ込め、永遠に監視し続けたのだとしたら……。

〝あなたを、誰にも渡しやしない‼〟

あの目線にはそんなメッセージが込められていたら……。あ〜怖い！

いやいや、いくらなんでもそこまでの深読みは行き過ぎでしょう。と、そのときは加速する妄想の飛躍にブレーキをかけたのですが、万葉集を読み進めるうちに、こんな歌が出てきたのです。

「大船(おおぶね)の津守(つもり)が　占(うら)に告(の)らむとは　まさしに知りて　我がふたり寝し」

（万葉集第二巻　一〇九）

有名な陰陽師の占いがきっと言い当てるだろうことを知ってたさ、あ〜俺たち二人は寝たさ！

この歌を作ったのは、大津皇子(おおつのみこ)で天武天皇の第三皇子。つまりは高松塚古墳に埋葬されてもおかしくない身分の人です。
『懐風藻』によると「状貌魁梧、器宇峻遠、幼年にして学を好み、博覧にしてよく文を属す。壮なるにおよびて武を愛し、多力にしてよく剣を撃つ。性すこぶる放蕩にして、法度に拘わらず、節を降して士を礼す。これによりて人多く付託す」と大津皇子は評されています。

つまりは、マッチョで器が大きく、文武両道、規則にとらわれず謙虚で礼節もあった、ということで人気があり、モテモテだった。何よりも「性すこぶる放蕩にして」は、「大船の津守が……」の歌のイメージとぴったりです。

では、誰と寝たのでしょう。相手が妻である山辺皇女なら、こんな歌を詠む必要はないでしょう。実は、この歌の前に、大津皇子と、その相手である石川郎女が詠んだ歌があり、それが鍵となっているのです。

〝山のしずくにぬれながら、君を待っている。すっかり濡れてしまった、山のしずくに〟

と大津皇子が歌うと、

〝私を待って、あなたが濡れた。山のしずくになりたいです〟

と、石川郎女が歌う。

ひゃ～、こちらが赤面するほどの「なまなましい」やりとりです。

そんな中で大津皇子は、あの「あ〜、俺たちは寝たさ！　それの何が悪い！」という、開き直りの「逆切れ歌」を詠んだのです。

でも、考えてください。なぜ、逆切れするのでしょう。ばれなければ、密かに山のしずくに濡れながら待っていればいいではありませんか。そう言っていられなくなったのは、陰陽師の占いのせいです。でも、陰陽師が勝手に占うはずもないので、依頼者がいたことになります。

むむむ、これは三角関係、しかも不倫の香りがしますな。

わくわくしてくるのは、私だけではないでしょう。現代人も有名人の不倫の話は大好物で、ことが起こるたび連日ワイドショーをにぎわせています。しかも、それがプリンスの不倫なのですからなおさらです！

さらに盛り上がるのは、この三角関係のもう一人も、プリンス！　石川郎女は、実は天武天皇の第二皇子、草壁(くさかべの)皇子に仕える女性だったのです。おそらく、もともとは草壁皇子に仕えていた石川郎女でしたが、ナイスガイの大津皇子のワイルドさに魅了され、ずるずると沼ってしまった……。

草壁皇子は天武天皇の後継者として、次に天皇となる予定の人物でしたが、当時は謀反が起こるのが日常の世界。大津皇子のような、男として非の打ちどころのない人物が登場すると、自分の身によからぬことが起こりかねないと草壁皇子は考えたのでしょう。しかも、自分の恋人にまで手を出しているという噂がある……。

それで、陰陽師に探りを入れさせたのかもしれません。そしたら例の「逆切れ歌」です！「あ〜、俺たちは寝たさ！　それの何が悪い！」です。こんなスキャンダラスな話題、今だって盛り上がるでしょう。当時の人々がどれだけこの三人に注目していたか、想像するだけでも面白い！

どうですか、まさか国宝を鑑賞しながら、三角関係のスキャンダルにわくわくするなんて想像できたでしょうか。

国宝って、こんな楽しみ方ができるツールでもあるんです。にぎにぎしい当時の人たちの声が聞こえてくるような、そんな身近な存在なんです。

すまし顔で陳列ケースに置かれている国宝は、みんなから「ありがたや〜」と言われたがっているように見えますが、そう言わせたいのは美術展を企画した現代人であって、飾られている国宝自身は、そんなことは思っていないはず。皆が「わびさび」などと言ってありがたがっても、実は色褪せた姿を見られるのは「恥ずかしい！」「（色鮮やかな）本当の私を見て！」と言っているような気がしてならないのです。

特に、高松塚古墳は、カビの大発生による修理と管理のために2007年に石室が解体され、もはや原型をとどめていない状態。その悲痛な有様が、「ありがたや〜」に拍車をかけているわけですが、〝本人〟がそれを喜んでいるかどうか……。

色鮮やかな飛鳥美人に囲まれ、ろうそくの柔らかい光の中に身を横たえ、貴婦人の視線を感じると、それがたとえ温かい視線だろうが、冷たい視線だろうが、そこにはなまなましい感情の波動があって、それが生きたメッセージを直接自分に訴えかけてきます。

美術品たちの声を聞き、今日もパソコンに向かって、色褪せた画面を鮮やかな色に復元している私の耳元には、本当に色んなささやきが聞こえます。

風神雷神からは、

「私たちの神としての威厳を見せてやってくれ」

平治物語の絵師からは、

「現代人に、俺たちの生きた証、『無常観』を伝えてくれ」

桃山時代の職人たちも、ささやきます。

「俺たちも大変だったけれど、ブラック企業も相当だね〜」

そして、赤い着物の飛鳥美人は、

「私の視線をどのように受け取るかは、あなた次第……」

ある人は、そんな私に対して、「いたこ」、つまり死者（あるいは精霊）と生きている者との交信をつかさどる巫女のようだ、と言います。また、似たような意味ですが、私の口にする言葉は私のものでなく、過去の人の言葉を伝えているだけなので、「管」「ＰＩＰＥ」と呼ぶ人もいます。

私は、きれいに見やすくなった美術たちを見て理解したことや、それによって頭に浮かんできた言葉たちを、今の人たちに翻訳しているだけなのですが、それを「いたこ」と言うならば、そうなのでしょう。ただ、私の場合、あまり霊的なものはありません。

でも、例えば、輪郭線をトレースするときに、筆がどこから始まり、どこで力が入り、どこです〜っと力が抜けて、どこで終わるかが、分かるときが多くあります。絵師の筆遣いを丁寧になぞると、自然にその絵師と同じ呼吸になります。筆が始まるときには大きく息を吸い止めて一気に力を込めて線を引き、ぷは〜っと息を吐きながら力を抜きつつ筆を徐々に離していく……。いにしえの絵師と呼吸をともにすると、絵師たちの気持ちまで同調した気になるのです。

ち密な復元作業をしながら、作品がささやく言葉を全身に浴び続けるので、これがけっこう疲れます。時にはあまりにもうるさかったり、言っている内容が重すぎたりして、それが体にこたえ、とても作業が続けられなかったりします。作業後は、それこそ本当のいたこのように、ぐた〜っと、横になってしばらく動けません。

「俺の体を使って、勝手なことを言いやがって……」

とすっかり〝いたこモード〟になって愚痴っては、疲労が回復するのを待つのですが、時間が経つと、

「ヤツらは、私以外に伝える相手がいないんだろうな〜」

と気の毒になり、またパソコンに向かい、画像処理の作業を始めるのです。

簡単に時空を超える万葉人

現代の人は、あらゆることに結論を求めます。疑問がすっきりと解決しないと落ち着きません。ミステリードラマなどで「伏線回収」などが完璧だと、非常に評判になるのも、この「すっきり解決!」が功を奏しているのでしょう。

でも日本美術では、それが障害になります。答えはひとつではありません。あの貴婦人の視線の読み方、つまり「見立て」次第で、石室内がロマンチックに温かくもなるし、殺伐としたひんやりしたものにもなるのです。

これを二つの矛盾する結論、と考えてはいけません。大きなひとつの結論と見る、幅を持った解釈もOK! のスタンスが必要です。それはつまり、石室内には、死を弔う空気より、埋葬者に対して直接訴えかけるような熱いメッセージが込められている、という幅を持った考えを受け入れる「心の余裕」です。

そうしないと、時代の空気をつかめないのです。小さいことにこだわりすぎると、そこから動けなくなり、時代の空気はそのまま空高く吹き飛んでしまいます。

○か×か、生きるか死ぬか、勝つか負けるか、と極端な答えを求めないことが、タイムトラベルのコツです。この「表裏一体」「限りないグラデーション」のイメージについては、この章でも第2章の「無常観」の解説でも触れました。

「盛者必衰の理をあらはす」。つまり、今という瞬間は勝者としている者も、その次の瞬間には、敗者への坂を転げおちていく。この「川の流れのように感」は、本章で紹介した歌からも感じることができます。

「秋山の黄葉（もみち）あはれと　うらぶれて入りにし妹は　待てど来まさず」

この万葉集の歌では、死はまったくの別世界なのではなく、道の先にある「地続き感」「グラデーション」として謳われています。

そして、高松塚古墳の石室内も、埋葬者を死者として自分たちと二分するのではなく、まるでいっしょにいるかのように語りかける一体感、そして、心を通わせようとする姿に、万葉人たちが優秀なタイムトラベラーだったことを見ることができます。

日本美術に「伏線回収」をするのはやめましょう。こちらから、無理やり解説文の裏付けを探す作業をいったんやめて、まずは作品から語りかけてもらうようにしましょう。

でも、いきなり色褪せた作品を前にするのでは、語り掛けてくる声が聞こえなかったり、理解することが難しかったりします。なので、ここまでこの本を通して、色々と体験をしていただきました。まずは【当時と同じ色彩で、当時と同じ方法（環境）で鑑賞】する。そして作品から伝わるメッセージに対し、【幅を持った心の余裕】を持って受け止める。この二つを忘れないようにすれば、国宝がもともとの姿で饒舌に語ってくれるストーリーが理解できるようになるのです。

大谷翔平がワールド・ベースボール・クラシック、対アメリカとの決勝戦前に、チームメンバーに向かって「憧れるのはやめましょう」と言ったことを覚えていますか。世界一のメジャーリーグから選出され、有名なスター選手が勢ぞろいしたアメリカチームという、夢のような対戦相手に畏怖を感じている日本選手もいたのでしょう。そんな選手に、すでにメジャーリーグのスターである大谷翔平が、憧れのあまりに相手に遠慮して実力が発揮できないのでは、決して日本は勝つことはできない、と思っての発言でした。きっと大谷の目には、日本選手の身体能力、ここに至るまでの努力、和を大切にするチームワークは、世界トップレベルで、アメリカチームに引けをとらない、と映っていたのでしょう。だから「畏るるに足らず」ということをまずは日本選手たちに、メジャーリーグのスター選手である自分から太鼓判を押したのです。

私は昔の絵師たちというメジャーリーグのチームで、修行してきたとも言えるかもしれません。その私が国宝たちの本当の姿、生まれたまんまの姿を通して、現代の美術愛好家というチームメンバーに言いたいのです。

「はじめから国宝、なんてないのだ」。だから、「畏るるに足らず」と。

ここまで、さんざん今の美術館を非難してきましたが、最後に、それでもやはり美術館は素晴らしい、というお話をしましょう。

もとの色に戻したレプリカを当時と同じ環境で鑑賞する「賞道」を体感した人は、実は再び美術館へ行きたくなる人がほとんどです。作品の本当の声を聞いた人は、「本物に会いたくなる」からです。〝本人〟から直接声を聞きたいからです。それがたとえ年老いた、か細くしゃがれた声であっても、「賞道」を通して国宝が国宝ではなかったころの若い声を聞いた経験があるので、十分理解することができるのです。

それができる前提であれば、本物に勝るものはありません。本物の持つオーラには、やはりレプリカは敵(かな)いません。

さらには、「川の流れのように感」「地続き感」を知っているので、経年変化で汚れたり色褪せた状態をたんに「わびさび」と解釈するのではなく、時の地層を俯瞰するように、鑑賞する目も変わっています。もうあなたも、タイムトラベラーなのですから。
「よくぞ風雪に耐えて、奇跡的に私たちの目の前にお出ましになった」
と、時空を超えたありがたさに、感動もひとしおです。作品たちひとつひとつに思わず手を合わせたくなる気分になります。

私の夢は、手で触れる原色レプリカと、本物の、併設美術展の開催です。これが実現したら、やっといにしえの絵師たち芸術家たちは、お役目御免と解放してくれるかもしれません。ん？　……もしかして私は、いにしえの人々の過剰なささやきから解放され「普通のおじさんに戻りたい」と思っているのでしょうか。

でも、美術展を実現したいという夢をかなえても、きっとまた彼らに会いたくなるのも私の性分でしょう。結局はちまちまと色を復元するのが何よりも好きな「画像処理バカ」な自分を、痛いほど知っているのです。

さて、〝いたこの愚痴〟も長くなりました。また、パソコンに向かいますか。

おわりに

自分は昔から変な癖があって、「自分がその時代に放り込まれて、果たして（幸せに）生きていけるか」と問うときがあります。

小さいころは、日本が経済大国としての勢いのある時代を過ごしたので、もし戦国時代に放り込まれて、命があるかないかの戦の毎日だとしたら、とてもその時代には生きてはいけない、と思いました。

私が就職したときは、バブルがはじけた直後でした。まだまだ、繚乱時代の名残は色濃く、どんなに江戸時代が華やかであっても、現代の方が楽しいに決まっている、だって江戸時代にはカルボナーラないから、と軽薄に思っていたものでした。

でもいつからでしょう、心の中に、ちょっとした空虚が生まれているのに気づいたのです。

「なんか、人間として、大事なものをなおざりにしてきたような……」

会社を辞めて、自分の会社を設立して、家庭を持って、子供を育てて、そんないわゆる

「人間らしいこと」を積み上げていくうちに、だんだんと考えが変わってきました。

特に、経済が悪化する一方で、東日本大震災、異常気象、コロナウィルス蔓延、戦争など、「これって、本当に現代なの？」と思うことがあまりにも繰り返され、「命を優先に身を守ってください！」などと報道に言われると、やっぱり「生きるのはつらい」「死はすぐそばにある」、だからこそ「家族と生きることは尊い」「生きるってことは奇跡」ということが実感できるようになってきたのです。


そうなると、不思議なことに「その時代に放り込まれて（幸せに）生きていけるか」という長年の問いには、「いけそうな気がする」という気持ちが頭をもたげてきました。きっと、いつの時代の人も、気持ちも感情もそう離れておらず、地球という同じ地平に立つ同じ〝人間〟であることを確信したのでしょう。

例えば、桃山時代に放り込まれたら、狩野永徳に怒られ、ひいひい言いながら、竹の筆を大いに振るっていたでしょうし、平安時代に生まれたら、疫病におののきながらも、祇園祭になれば狂わんばかりに踊りまくっていたでしょうし、万葉時代なら貴族たちのスキャンダルに呆れながら、山の奥に隠れてしまった恋人に涙したことでしょう。

きっと、一所懸命生きる、ということが共通言語なんでしょう。その一所懸命生きた証が、今でいう美術品にちゃんと爪痕となって残っているのです。それをひとつひとつ紡いで、つないでみる。

すると、「ああ、どの時代の人も、ホント、一所懸命生きて、死んでいったのだな。ただそれだけなのだな」という思いになるのです。現代人だからこそ、特別だ、ということはひとつもなくて、いにしえという川上から流れ続ける大きな川の流れに、この私もいる……。

今私たちは、勝ち組をめざして投資を続けて貯蓄を続ける、おいしいものをたらふく食って今を楽しく生きる、などの暮らしの中に幸せがあると思いがちです。いや、実際にそこにも幸せはあります。

しかし、その生き方だと負け組が存在し、ある国では食べ物を捨てているのに別の国では餓死している子供たちがいるような状況が生まれます。現代の幸せのありかたに限界があるのが分かります。

となると、まったく違う幸せを探す必要があります。そこで今回のタイムトラベルで垣間見た、人々の生きざまがいいヒントになります。つまりは、平安時代で「無常」を感じ、今の状態だけで満足したり悲観したりするのではなく、その次の瞬間や次の時代まで深く考えたり、万葉人の死者に対する接し方のように、死者といっしょにずっと寄り添い歩いていきましょうという姿勢に、現代の生きづらい矛盾を解きほぐす秘訣があるように思うのです。今生きている現実だけで、すべての「伏線回収」をする必要はないのです。

デジタル復元の歴史は、先駆者がいない中、私が始めたころをはじめとするとまだ25年くらいの歴史しか経っていません。つまり、いにしえの人々と心を通わすタイムトラベルも、まだ始まったばかりです。色んな人の様々な「見立て」がまだまだ期待できる黎明期と言えるでしょう。

この本を通して、タイムトラベラーとなった皆さん、たくさん自分らしい「見立て」をして、新しい幸せを探す旅に出てみましょう。もし発見があったら、自分だけでなく、他の方と共有してみましょう。

特に子供たちと共有することが大事です。デジタル復元を通して、子供たちが眼前の世界だけに幸せがあるのではないことを知り、いにしえの人々が普通にしていたように、時空を超えてつながる情に触れることも可能なのです。

子供たちが、いにしえの情の豊かさに恵まれ、いつも心に幸せを感じている世界がおとずれることを願ってやみません。

[プロフィール]
小林泰三（こばやし たいぞう）
デジタル復元師、鑑賞学者。1966年、東京都生まれ。大学卒業時に学芸員の資格を取得。大手印刷会社で美術のハイビジョン番組に携わる。美術の知識と美術業界のノウハウを駆使して、美術品のデジタル復元を手掛ける。その先駆者として高く評価され、ハイビジョンアワード、マルチメディアグランプリ、ユネスコシネマフェスティバルなどで数々の受賞歴がある。2004年に小林美術科学を設立し、美術史業界のネットワークと最新のレタッチ技術を融合し、本格的にデジタル復元の活動を開始。手掛けた作品は、飛鳥時代の高松塚古墳壁画から昭和時代の白黒写真＆フィルムのカラー化まで、多岐にわたる。著書に『日本の国宝、最初はこんな色だった』『誤解だらけの日本美術』（ともに光文社新書）などがある。
小林美術科学ホームページ　http://kobabi.com/
小林美術科学 Facebook ページ　https://www.facebook.com/kobabi2004/

[漫画] 新月ゆき
[写真・イラスト] すべて小林泰三
[カバー・本文デザイン] コバヤシタケシ

はじめから国宝（こくほう）、なんてないのだ。
感性（かんせい）をひらいて日本美術（にほんびじゅつ）を鑑賞（かんしょう）する

2023年12月30日　初版第1刷発行

著　者　小林泰三（こばやしたいぞう）
発行者　三宅貴久
発行所　株式会社 光文社
〒112-8011　東京都文京区音羽1-16-6
電　話　[編集部] 03-5395-8172　[書籍販売部] 03-5395-8116
[業務部] 03-5395-8125
メール　non@kobunsha.com
落丁本・乱丁本は業務部へご連絡くだされば、お取り替えいたします。

組　版　堀内印刷
印刷所　堀内印刷
製本所　国宝社

ISBN978-4-334-10180-0